図表でわかる

無痛分娩プラクティスガイド

改訂第2版

■ 総監修 **村越 毅**
聖隷浜松病院総合周産期母子医療センター
産科部長・周産期センター長

■ 著者 **入駒慎吾**
株式会社LA Solutions代表取締役CEO
一般社団法人 日本無痛分娩研究機構代表理事

■ 特別監修 **松田祐典**
埼玉医科大学総合医療センター産科麻酔科診療部長・准教授

Web動画付

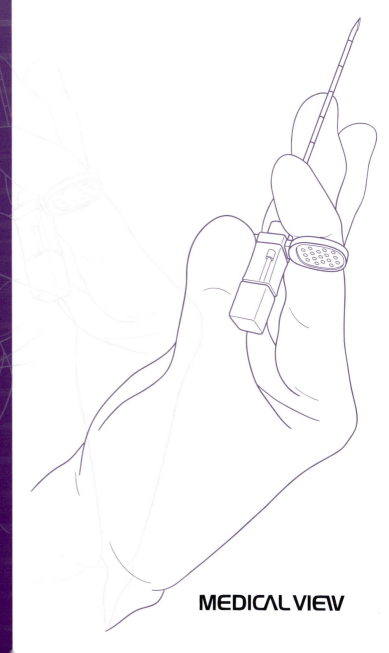

MEDICAL VIEW

本書では，厳密な指示・副作用・投薬スケジュール等について記載されていますが，これらは変更される可能性があります。本書で言及されている薬品については，製品に添付されている製造者による情報を十分にご参照ください。

The Practice Guide for Safety Labor Analgesia, 2nd edition
（ISBN978-4-7583-2141-9 C3047）

Supervisor	: MURAKOSHI Takeshi
Author	: IRIKOMA Shingo
Exective Adviser	: MAZDA Yusuke

2018. 3. 20　1st ed
2022. 12. 10　2nd ed

©MEDICAL VIEW, 2022
Printed and Bound in Japan

Medical View Co., Ltd.
2-30 Ichigaya-hommuracho, Shinjuku-ku, Tokyo, 162-0845, Japan
E-mail　ed@medicalview.co.jp

序　文

　本書『図表でわかる　無痛分娩プラクティスガイド』の初版が出版されてから4年が経ち，待望の改訂第2版の出版となりました。当時の無痛分娩は全分娩の5％を超えたところでしたが，その後の無痛分娩の普及に伴い現在は10％に迫る普及率となっています。初版の序文では「陣痛を乗り越えてこそ一人前，いわゆる産みの苦しみを経験しないとなんとなくいけないような雰囲気があるかもしれません」と書いていましたが，現在はそのような雰囲気はほとんどなく，無痛分娩そのものが妊婦さんとその家族へ認知され，分娩の選択肢のひとつ（バースプラン）として考えられていると感じています。だからこそ，今まで以上に『安全で快適な』無痛分娩を提供することが責務だと感じています。

　安心・安全という言葉があります。安心と安全は似ている言葉なので「安心・安全」とセットで使用しがちですが異なる意味をもっています。「安全」は提供する側の問題で，「安心」は受け手側の主観です。私たち医療者は常に「安全」な医療を提供する義務があり，そのうえで受け手側の患者や家族が「安心」を感じ取ってもらえるのが理想です。分娩でも同じです。分娩は痛みを伴うものですが，その痛みをどう捉えるかには個人差があり，医療提供側の気持ちだけで決めるものではなく，患者である妊婦さんと一緒になって考えるべきものでしょう。

　妊婦さんと家族にとって一生のうちに何回もあるわけではない妊娠と出産という状況に立ち会うことのできる私たちの職種（産科医，助産師，麻酔科医，新生児科医など）は妊婦さんにとっての「素敵なお産」をサポートする大切な立場にあります。本来，出産は自然な営みなので医療介入がなくとも大部分は安全に出産することができるかもしれません。しかし，ひとたび危険となった場合には急な展開が待ち受けており，医療介入のタイミングが遅れると母児ともに危機的な状態になります。そのため，妊婦さんに寄り添い，分娩の進行をしっかりと見極める助産師，影ながら安全を確保して見守り必要なら医療介入を行う産科医，産まれた赤ちゃんのスペシャリストの新生児科医，そして，痛みと全身管理のスペシャリストの麻酔科医がチームとして対応するのが理想でしょう。

　無痛分娩もそんな素敵なお産を実現するためのひとつのツールだと思います。バースプランの一つとして，すべての妊婦に無痛分娩の選択肢が提供されるのが理想です。そのためには，無痛分娩が安全に行われること，そして，分娩と麻酔に伴う異常に対して予知し未然に防ぐことなどが求められます。

　本書は，今回の改訂で，無痛分娩に対して今まで以上に，その理論，セットアップ，安全のために考えること・備えること，麻酔だけでなく産科的なマネージメントなどについて，エビデンスを踏まえながら執筆されています。麻酔科医でありながら産婦人科専門医として現在も分娩と麻酔の現場に深くかかわっている入駒慎吾先生がそのノウハウを詰め込んで執筆し，エビデンスの裏付けを埼玉医科大学総合医療センター産科麻酔科の松田祐典先生が行い，産科的内容は私が監修しています。現時点で『無痛分娩の実践（プラクティス）』について最強の内容となっていると自負しています。

　本書により無痛分娩にかかわる医療者が，『妊婦が主役の分娩と麻酔』を『より安全に，より快適に』提供できることを願っています。

2022年11月

聖隷浜松病院 総合周産期母子医療センター
産科部長・周産期センター長

村越　毅

[第1版より]

刊行に寄せて

　この度，入駒慎吾氏による本書が上梓されることになった．著者は現役の麻酔科医として，特に産科麻酔を専門としたスペシャリストとして活躍中であり，日本の産科麻酔の若手のホープである．

　無痛分娩は産科麻酔のみならず，産科診療の大きなテーマである．現在，無痛分娩は麻酔科医が行う施設もあれば，産科医が行う施設もある．麻酔科医は麻酔の視点から，産科医は産科の視点から取り組むため，ときに両者の取り組みが異なり調整が難しいことがある．しかし，著者は産婦人科医の経歴をもつ麻酔科医であり，両者の視点を理解して無痛分娩に取り組むことのできる希有な存在のスペシャリストである．本書はその著者の無痛分娩に関する臨床のすべてをわかりやすく1冊の本にまとめたものである．

　無痛分娩に関しては，痛みのない理想的なお産として手放しで賞賛されてきたが，無痛分娩に伴う医療事故の報道の後，無痛分娩が非常に危険で恐ろしいものと捉えられる風潮に一転した．しかし，無痛分娩は麻酔手技を伴うものの，適切な準備をすることによって安全に行えるものである．今こそ無痛分娩についての正しい理解が求められており，本書はその無痛分娩を安全に行うための手助けをするガイドブックである．

　著者は大学を卒業後，産婦人科教室に入局し，産婦人科の研修に続いて麻酔科，NICUの研修の後，離島で産婦人科医として働いた経験を有する．産婦人科医として8年働いた後，麻酔科に転科し現在に至っている．その間約1年半，私は国立成育医療研究センターで著者と一緒に仕事をした．「信頼のおける産科麻酔科医」，「産婦人科医の気持ちのわかる麻酔科医」であり，著者がいるだけで私は安心して分娩介助や手術を行うことができた．

　上述したように，著者の勤務経験はクリニックからナショナルセンターまで幅広い．そして，「日本の無痛分娩の安全性を向上させたい」という熱い思いを持っている．こうした経験と思いで培った著者の無痛分娩がここに1冊の本となった．実際に無痛分娩を安全に行う際に直面する種々の事柄について，非常にわかりやすく書いてある．最初にポイントが列挙してあり，また図表も多くみやすい．無痛分娩に関する知恵がつまっている本である．

　産婦人科医，麻酔科医のみならず助産師や看護師にとってもきわめて有益であり，無痛分娩を扱う際や無痛分娩に関しての知識を得たいとき，最新でわかりやすいテキストブックである．

2018年3月

国立成育医療研究センター副院長
周産期・母性診療センター長

左合治彦

[第1版より]

序　文

　ここ数年，日本でも無痛分娩が普及してきており，全分娩の5％を超えました．しかし，諸外国に比較するとまだまだその普及にはほど遠いのも現状です．陣痛を乗り越えてこそ一人前，いわゆる産みの苦しみを経験しないとなんとなくいけないような雰囲気があるかもしれません．すべての産婦さんが無痛分娩を選択する必要はありませんが，安全が確保されていれば産婦さんの選択肢の幅が広がるのはとても良いことだと思っています．『より安全に，より快適に』が聖隷浜松病院の産科病棟の理念です．その上で，安全が確保されていれば，より快適な分娩を産婦さん自らが選べる選択肢を増やす努力をしてきました．そのひとつが無痛分娩です．

　当院での無痛分娩の立ち上げには，麻酔科医，産科医，助産師などがチームをつくり，24時間365日，安全な無痛分娩を提供するにはどのようにすれば良いのかを考え，そして実行してきました．その立ち上げに深くかかわってくれたのが，本書『図表でわかる　無痛分娩　プラクティスガイド』の著者である入駒慎吾先生です．入駒先生は最初産婦人科医として専門医を取得した後，当院の麻酔科の魅力に魅せられて産科麻酔の道へ転向し，麻酔科専門医を取得したダブルライセンスの産科麻酔科医です．

　無痛分娩を安全かつ快適に施行するには，分娩の知識と技術（産科医）と麻酔の知識と技術（麻酔科医）の両方が求められます．分娩は手術と違い長時間にわたります．その分娩の状況や進行具合に合わせて産婦の痛みを取り除き，分娩を適切に進行しなければなりません．その，両方の知識と技術を実体験として持ち合わせている入駒先生が，助産師を巻き込み当院での無痛分娩チームを立ち上げたノウハウを生かし，安全な無痛分娩をチームで行うためのさまざまな工夫やコツ，そしてベーシックな基礎知識を網羅しているのが本書です．

　『無痛分娩は四次元の陣取り合戦です』と教えてもらいました．硬膜外麻酔という技術を用いて，適切な麻酔薬とオピオイドを用い，上下・左右の麻酔範囲，そして麻酔の深さ，さらには分娩進行に合わせた時間軸での先読みなど，論理的にかつ戦略的に無痛分娩を考えることが，痛みを取り除き，分娩を適切に進行させ，かつ安全に分娩を終了させるためのポイントだと思います．

　無痛分娩に興味のある麻酔科医や産科医だけでなく，無痛分娩を実践している麻酔科医や産科医にも知識の整理として役立つ内容です．そして無痛分娩を行っている（これから行う）助産師さん達にとっても，無痛分娩チームの一員としてどう考えればいいのかがわかる一冊となっています．本書により無痛分娩にかかわる医療者が，「より安全でより快適な」無痛分娩にたずさわれるようになることを願っています．

2018年3月

聖隷浜松病院産婦人科・総合周産期母子医療センター
産婦人科部長

村越　毅

改訂第2版 図表でわかる 無痛分娩プラクティスガイド

序文 ……………… 村越 毅
第一版 序文 ……… 村越 毅

Chapter 1 無痛分娩とは？ ……………………………………………… 2
　痛みがまったくなくなるわけではない？　2
　無痛分娩の麻酔と手術麻酔の違い　2

Chapter 2 無痛分娩の利点と欠点は？ …………………………… 4
　無痛分娩の利点　4
　無痛分娩の欠点　4

Chapter 3 日本の無痛分娩の現状は？ …………………………… 6
　日本の無痛分娩率　6
　無痛分娩普及の経緯　6
　無痛分娩リテラシー　6

Chapter 4 無痛分娩という医療の特徴は？ ……………………… 8
　知識・技術的観点（カテーテルの信頼性の確保）　8
　チーム医療的観点（チームメンバーの多様性の尊重）　8

Chapter 5 医療従事者は無痛分娩をどう捉えるべきか？ ……… 10
　無痛分娩というバースプラン　10
　医療従事者それぞれの役割　10

Chapter 6 無痛分娩に必要な薬剤・機器は？ ………………… 12
　無痛分娩で用いる薬剤　12
　無痛分娩で用いる機器　13

Chapter 7 無痛分娩の安全を支える薬剤は？ ………………… 14
　無痛分娩の安全を支える薬剤　14

Chapter 8 無痛分娩の安全を支える機器は？ ………………… 16
　無痛分娩の安全を支える機器　16

Chapter 9 無痛分娩の安全を支える提供体制は？ …………… 18
　無痛分娩の診療体制　18
　無痛分娩という医療の特徴からみた業務分担　18

Contents

Chapter 10 無痛分娩の安全を支える人材育成は？ 20
　医師の育成　20
　知識　20
　技術（スキル）　20
　急変対応　21
　助産師（看護師）の育成　21

Chapter 11 無痛分娩の安全管理（急変時の体制） 22
　急変時の体制（院内）　22
　急変時の体制（院外）　22

Chapter 12 鎮痛法と陣痛起点の組み合わせと無痛分娩の
プロトコールとは？ 24
　鎮痛法（麻酔法）　24
　陣痛起点　24
　プロトコール　25

Chapter 13 無痛分娩の適応と禁忌は？ 26
　適応　26
　禁忌　26

Chapter 14 インフォームドコンセントで何を伝えるか？ 28
　インフォームドコンセントの目的　28
　インフォームドコンセントの内容　28

Chapter 15 麻酔前評価では何を診るのか？ 30
　麻酔前評価の目的　30
　外来時の麻酔前評価の内容　30
　麻酔開始直前の評価の内容　31

Chapter 16 何を考えて鎮痛法（麻酔法）を決定するのか？ 32
　鎮痛法（麻酔法）の種類　32
　決定に関して考慮すべき因子　32

Chapter 17 合併症妊娠（特にHDP）の無痛分娩で
何に気を付けるのか？ 34
　妊娠高血圧症候群（HDP）とは？　34
　HDP合併妊婦の無痛分娩　34

Chapter 18 穿刺の準備は？ 36
　穿刺する直前に確認すべきもの　36
　事前にシステム化しておくべきもの　36

| Chapter 19 | 穿刺する際の体位は？ | 38 |

側臥位での穿刺　38
坐位での穿刺　38

| Chapter 20 | 知っておくべき解剖は？ | 40 |

硬膜外腔と脊髄くも膜下腔　40
脊髄神経　40

| Chapter 21 | 知っておくべき生理は？ | 42 |

陣痛を伝える神経経路　42
児頭陥入　42

| Chapter 22 | 穿刺部位はどうやって決定する？ | 44 |

なぜL3-4が第一選択なのか？　44
L3-4の同定法　44

| Chapter 23 | エコーによるプレスキャンとは？ | 46 |

プレスキャンの有用性　46
デバイスの紹介　47

| Chapter 24 | 穿刺前の清潔操作は？ | 48 |

清潔野をつくる前に　48
消毒　48
ドレーピング　49

| Chapter 25 | 穿刺部位の確認と局所浸潤麻酔のコツは？ | 50 |

穿刺部位の同定　50
局所浸潤麻酔　50

| Chapter 26 | 硬膜外針による穿刺の注意点は？ | 52 |

硬膜外針による穿刺の流れ　52
"靱帯感"　52

| Chapter 27 | CSEA針（DPE含む）による穿刺の注意点は？ | 54 |

CSEAとは　54
硬膜外針による硬膜外腔への到達　54
Needle through needleの実際　54

| Chapter 28 | loss of resistance（LOR，抵抗消失）法の実際は？ | 56 |

loss of resistance（LOR，抵抗消失）用シリンジの装着　56
硬膜外腔への到達　56
LOR用シリンジの種類とその充填物　57

Chapter 29　硬膜外腔へ到達できないときは？ ……… 58
硬膜外腔に到達できないときは？　58
シリンジをつけたまま靱帯を探らない！　59

Chapter 30　硬膜外カテーテルの挿入は？ ……… 60
硬膜外カテーテルの挿入　60
硬膜外カテーテル挿入時のトラブルシューティング　60

Chapter 31　硬膜外針の抜去は？ ……… 62
硬膜外針の特徴　62
硬膜外針の抜去法　62
吸引テストまで　62

Chapter 32　カテーテル迷入の予防と発見法は？ ①吸引テスト ……… 64
迷入の予防　64
吸引テスト　64

Chapter 33　カテーテル迷入の予防と発見法は？ ②試験投与　66
試験投与（テストドーズ）　66
無痛分娩におけるカテーテルの迷入　66

Chapter 34　硬膜外カテーテルの固定に関して知っておくべきことは？ ……… 68
硬膜外カテーテルの皮膚への固定　68
硬膜外カテーテルが抜けるメカニズム　68

Chapter 35　無痛分娩記録には何を記載すべきか？ ……… 70
無痛分娩記録とは　70
無痛分娩記録に記載すべき情報　70

Chapter 36　麻酔開始のタイミングは？ ……… 72
オンデマンド無痛分娩（24時間体制）の麻酔開始　72
計画無痛分娩の麻酔開始　72

Chapter 37　硬膜外麻酔による無痛分娩の初期鎮痛は？ ……… 74
硬膜外麻酔を選択する場合　74
硬膜外麻酔による初期鎮痛　74

Chapter 38　DPE technique による無痛分娩の初期鎮痛は？ … 76
DPE technique とは　76
DPE technique を選択する場合　76

Chapter 39　CSEAによる無痛分娩の初期鎮痛は？ …… 78
CSEAによる無痛分娩を選択する場合　78
CSEAによる初期鎮痛　78

Chapter 40　脊髄くも膜下麻酔による無痛分娩の初期鎮痛は？ … 80
脊髄くも膜下麻酔を選択する場合　80
脊髄くも膜下麻酔による鎮痛　80

Chapter 41　麻酔効果判定では何をみる？ …… 82
麻酔効果とは　82
痛みの評価（鎮痛）　82
麻酔薬の広がりの評価（麻酔範囲）　82

Chapter 42　CSEAでのPCEAへの"乗り換え"はどうすべきか？ … 84
PCEAへの"乗り換え"とは　84
CSEAでのPCEAへの"乗り換え"の実際　84

Chapter 43　麻酔導入時の合併症は？ …… 86
麻酔自体によるもの　86
麻酔が分娩に与える影響によるもの　86

Chapter 44　致死的合併症とは？ …… 88
致死的合併症総論　88
真逆の鎮痛状態を呈する致死的合併症　88

Chapter 45　全脊髄くも膜下麻酔の原因と診断は？ …… 90
全脊髄くも膜下麻酔の原因　90
全脊髄くも膜下麻酔の診断　90

Chapter 46　全脊髄くも膜下麻酔への対応と治療は？ …… 92
全脊髄くも膜下麻酔への対応　92
全脊髄くも膜下麻酔の治療　92

Chapter 47　局所麻酔薬中毒の原因と診断は？ …… 94
局所麻酔薬中毒の原因　94
局所麻酔薬中毒の診断　94

Chapter 48　局所麻酔薬中毒への対応と治療は？ …… 96
局所麻酔薬中毒への初期対応　96
局所麻酔薬中毒の治療　96

Chapter 49　アナフィラキシーショックの診断と治療は？ …… 98
アナフィラキシーショックの診断　98
アナフィラキシーショックの治療　99

Chapter 50　胎児一過性徐脈にはどう対応する？ ……100
無痛分娩における胎児一過性徐脈　100
胎児一過性徐脈への対応法　101

Chapter 51　PCA の設定は？ ……102
PCA とは　102
PCA の設定　102

Chapter 52　PIB や CI-PCA とは？ ……104
硬膜外無痛分娩における PCA の限界　104
新しい PCA 装置の機能　PIB と CI-PCA　104

Chapter 53　突発痛（BTP）の原因は？ ……106
突発痛（BTP）とは　106
BTP の原因検索　106

Chapter 54　BTP への対応はどうする？　①薬剤の追加投与（レスキュー）編 ……108
BTP（NRS ≧ 3）への対応　108
薬剤の追加投与（レスキュー）　108

Chapter 55　BTP への対応はどうする？　②再穿刺編 ……110
信頼できないカテーテル　110
再穿刺　110

Chapter 56　無痛分娩管理中の合併症は？　総論 ……112
麻酔自体によるもの　112
麻酔が分娩に与える影響によるもの　112

Chapter 57　母体発熱と掻痒感にはどう対応する？ ……114
母体発熱　114
掻痒感　114

Chapter 58　麻酔が分娩に与える影響は？　総論 ……116
分娩の 3 要素　116
分娩経過による分類　116

Chapter 59　娩出力低下にどう対応する？　①続発性微弱陣痛 ……118
子宮収縮薬（アトニン®）の使用　118
人工破膜　119

Chapter 60　娩出力低下にどう対応する？　②怒責力の低下 ……120
児娩出時の麻酔の影響　120
怒責力低下への対応　120

Chapter 61　麻酔の産道への影響は？ ①急速な分娩進行 122
麻酔の軟産道への影響　122
無痛分娩と急速な分娩進行　122

Chapter 62　麻酔の産道への影響は？ ②回旋異常 124
無痛分娩と回旋異常　124
回旋異常への対応　125

Chapter 63　無痛分娩で帝王切開率は増加するか？ 126
無痛分娩と帝王切開率　126
鎮痛法と陣痛起点の組み合わせと帝王切開率　126

Chapter 64　無痛分娩から帝王切開へ移行するときの麻酔はどうする？ ①選択編 128
カテーテルの信頼性の評価　128
麻酔法の選択　128

Chapter 65　無痛分娩から帝王切開へ移行するときの麻酔は？ ②実践編 130
無痛分娩による硬膜外周辺の変化　130
それぞれの麻酔法のピットフォール　130

Chapter 66　産科危機的出血になったらどう対応する？ショック総論 132
産科危機的出血と妊産婦死亡　132
分娩周辺期に起こるショック　132

Chapter 67　無痛分娩中の子宮破裂にはどう対応する？ 134
子宮破裂とは　134
無痛分娩と子宮破裂　134

Chapter 68　無痛分娩中の常位胎盤早期剥離にはどう対応する？ 136
常位胎盤早期剥離とは　136
無痛分娩と常位胎盤早期剥離　136

Chapter 69　無痛分娩でのピットフォールは？　出血関連 138
無痛分娩と弛緩出血　138
無痛分娩と創部出血　138

Chapter 70　羊水塞栓症が起こったら？ 140
羊水塞栓症とは　140
羊水塞栓症の診断と治療　140

Chapter 71　児娩出時の助産師の役割は？ 142
分娩第 2 期の助産管理　142
無痛分娩特有の会陰保護　143

Chapter 72　分娩後の管理はどうする？ 144
無痛分娩で出産した褥婦の特徴　144
硬膜外カテーテルの抜去　145

Chapter 73　PDPH が起こったらどうする？ ①発生機序 146
PDPH（硬膜穿刺後頭痛）とは　146
頭痛が起こるメカニズム　146
針の太さや種類と PDPH の発生頻度　146

Chapter 74　PDPH が起こったらどうする？ ②診断 148
PDPH の特徴　148
PDPH の診断　148

Chapter 75　PDPH が起こったらどうする？ ③治療 150
PDPH への対応法　150
治療法の選択　150

Chapter 76　PDPH が起こったらどうする？ ④硬膜外自己血パッチ（EBP） 152
EBP の実際　152
EBP のリスク　152

Appendix

Appendix 1　局所麻酔薬はどうやって効くのか？　154
Appendix 2　痛みをとるということはどういうことなのか？　155
Appendix 3　運動神経ブロックの指標（Modified Bromage Scale）　156
Appendix 4　無痛分娩と産後うつ，自閉スペクトラム症　157
Appendix 5　説明同意書例　158

あとがき .... 入駒慎吾　161

Index　163

時系列で示した本書の構成

執筆者一覧

- **総監修**
  - 村越　毅　　聖隷浜松病院総合周産期母子医療センター産科部長・周産期センター長

- **著者**
  - 入駒慎吾　　株式会社LA Solutions 代表取締役CEO
  　　　　　　　一般社団法人 日本無痛分娩研究機構代表理事

- **特別監修（エビデンス監修）**
  - 松田祐典　　埼玉医科大学総合医療センター産科麻酔科診療部長・准教授

動画撮影協力
芥川バースクリニック

執筆者一覧 [第1版]
- **編集**　村越　毅
- **著者**　入駒慎吾

- **編集協力者名** [50音順]

伊賀健太朗	魚川礼子	大原玲子
金山　旭	久保浩太	佐藤正規
野口翔平	福島里沙	森由美子
梁木理史	山下亜貴子	山下陽子
山本記穂		

オンラインでの動画視聴方法

本書の内容に関連した動画をメジカルビュー社のホームページでストリーミング配信しております。下記の手順でご利用ください（下記はPCで表示した場合の画面です。スマートフォンで見た場合の画面とは異なります）。

※動画配信は本書刊行から一定期間経過後に終了いたしますので，あらかじめご了承ください。

❶ 下記URLにアクセスします。
https://www.medicalview.co.jp/movies/

スマートフォンやタブレット端末では，QRコードから❸のパスワード入力画面にアクセス可能です。その際はQRコードリーダーのブラウザではなく，SafariやChrome，標準ブラウザでご覧ください。

❷ 表示されたページの本書タイトルそばにある「動画視聴ページへ」ボタンをクリックします。

改訂第2版 図表でわかる
無痛分娩プラクティスガイド
2022年12月10日刊行

❸ パスワード入力画面が表示されますので，利用規約に同意していただき，下記のパスワードを半角で入力します。

53982362

❹ 本書の動画視聴ページが表示されますので，視聴したい動画のサムネイルをクリックすると動画が再生されます。

動作環境

※下記は2022年1月時点での動作環境で，予告なく変更となる場合がございます。
※PCの場合は2.0Mbps以上の，タブレットの場合はWiFiやLTE等の高速で安定したインターネット接続をご利用ください。
※通信料はお客様のご負担となります。

- **Windows**
  OS：Windows 10 / 8.1（JavaScriptが動作すること）
  ブラウザ：Internet Explorer 11，Chrome/Firefox最新バージョン

- **Macintosh**
  OS：10.15 ～ 10.8（JavaScriptが動作すること）
  ブラウザ：Safari, Chrome, Firefox最新バージョン

- **スマートフォン，タブレット端末**
  iOS端末での視聴は問題ありません。Android端末の場合，端末の種類やブラウザアプリによっては正常に視聴できない場合があります。
  QRコードは（株）デンソーウェーブの登録商標です。

動画一覧

- 1. 体位のとり方 (*Chapter 19*) 　　　　　　　　00:00〜00:08
- 2. 穿刺部位の決め方 (*Chapter 22*) 　　　　　　00:08〜00:21
- 3. 消毒のドレーピング (*Chapter 24*) 　　　　　00:21〜01:10
- 4. 局所浸潤麻酔の方法 (*Chapter 25*) 　　　　　01:10〜01:41
- 5. 硬膜外針の持ち方，穿刺の実際 (*Chapter 26*) 　01:41〜01:59
- 6. LOR の実際 (*Chapter 28*) 　　　　　　　　01:59〜02:28
- 7. カテーテルの挿入 (*Chapter 30*) 　　　　　　02:28〜02:51
- 8. 硬膜外針の抜去 (*Chapter 31*) 　　　　　　　02:51〜03:11
- 9. 吸引テスト (*Chapter 32*) 　　　　　　　　　03:11〜03:24
- 10. 試験投与（テストドーズ）(*Chapter 33*) 　　03:24〜03:44
- 11. カテーテルの固定 (*Chapter 34*) 　　　　　03:44〜04:33

Chapter 1　無痛分娩とは？

Point

- ☑ 無痛分娩とは，産痛を緩和しようとするプロセスを表す医学用語であり，痛みがなくなるという結果を表す用語ではない。
- ☑ 無痛分娩は，鎮痛（麻酔）という医療介入を行う分娩である。
- ☑ 無痛分娩の麻酔は，手術麻酔とはまったく異なる性質を有している。

痛みがまったくなくなるわけではない？

　無痛分娩とは，麻酔などの何かしらの手段を用いることによって産痛を緩和（鎮痛）しながら分娩に至ることの総称で医学用語である。「痛みがない」と書くが，**まったく痛みを感じなくなるという結果を表すのではなく，プロセスを表す用語**である。うまく管理されればほとんど痛みを感じないこともあるが，結果として痛みを緩和しきれないこともある（図1）。ゆえに，"結構痛かった無痛分娩"という表現は成り立ってしまう。これに対して，"和痛分娩"という表現は医学用語ではなく，痛くないという結果を提供できないときの言い訳のためにも使用される用語であるため，本書では『無痛分娩』に統一する。**無痛分娩の麻酔法としては硬膜外麻酔が一般的であり，「硬膜外無痛分娩」と呼ばれることも多い**。一方，この医療行為自体の意味からは"産痛緩和"という言い方をすることも少なくない。

> **痛み**
> 本書では，産痛（labor pain）のことをわかりやすく"痛み"と表す。

無痛分娩の麻酔と手術麻酔の違い

　無痛分娩が鎮痛（麻酔）という医療介入をする分娩である以上，分娩に関する知識・技術だけでなく，麻酔に関する知識・技術が必要であることはいうまでもない。ただし，この無痛分娩における麻酔は手術麻酔とはまったく異なる性質を有する。手術麻酔では手術侵襲（痛がらせ）に対して，圧倒的な鎮痛（麻酔）を提供することが求められる。また，術者が手術に専念できるように，麻酔管理は完全に分業状態である。わが国の分娩取り扱い施設の現状からも，無痛分娩における分業状態を生み出すのは難しいと考えられる。一方，**無痛分娩の麻酔においては母児への副作用や分娩への影響を最小限にするため，比較的弱い鎮痛で乗り切ろうとする特徴がある**。さらに，**分娩と麻酔のオーバーラップ領域であるため，麻酔という観点で捉えきれないことにも注意が必要である**。

　このような無痛分娩の本質は，医療従事者にもあまり理解されていないのが現状である。

図1　無痛分娩のイメージ図

分娩が麻酔によって影響を受けることで変形（変化）するというプロセスののち，
「痛かった」あるいは「痛くなかった」という結果に至る。

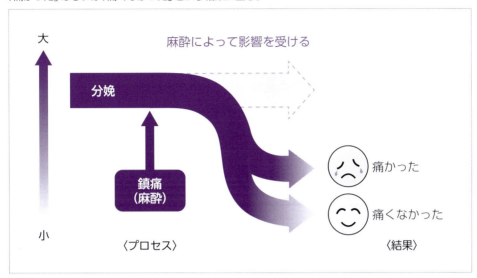

表1　医療行為としての手術と無痛分娩の比較

医療行為	手術	無痛分娩
侵害刺激（痛がらせ）	＋＋＋	＋
麻酔の強度	＋＋＋＋	＋〜＋＋
麻酔による医療対象の変化	±	＋＋
医療行為への集中度	＋＋	±

Chapter 2 無痛分娩の利点と欠点は？

Point

- ☑ 無痛分娩の利点は，快適性と安全性に分けて考えると理解しやすい。
- ☑ 無痛分娩の欠点は，麻酔自体による副作用および合併症と，麻酔が分娩に与える影響の2つに分けて考えなければ混乱をきたす。
- ☑ 麻酔が分娩に与える影響がなくても，同様の産科合併症が起こりうることも念頭に置く。

無痛分娩の利点（表1）

　無痛分娩の利点は基本的には麻酔が分娩に与える影響のみと考えられ，これらは快適性と安全性に分けて考えると理解しやすい。快適性に関しては，"痛くない（痛みの少ない）お産"であることはいうまでもないが，分娩に対する恐怖心が減弱することも，妊婦あるいは妊娠を目指す場合には大きな利点となる。また，分娩中と産後の疲労度が軽減されるという報告も散見される[1]。

　一方，安全性に関しては，緊急帝王切開への移行（コンバージョン）の麻酔も，無痛分娩で使用していたカテーテルを用いてスムーズに行うことができる。ただし，カテーテルの信頼性を十分に確認できていない場合には，執刀後に十分な鎮痛が得られていないことが判明し，逆にリスクが高くなる場合があることは認識しておく。

Chapter 64, 65
⇨ p.128～参照

Chapter 54
⇨ p.108参照

無痛分娩の欠点（表2, 3）

　無痛分娩の欠点を考える場合，*Chapter 1*でも述べたように無痛分娩を"麻酔という医療介入を行う分娩"として捉えるべきである。つまり，麻酔という医療介入自体による副作用および合併症と，麻酔という医療介入が分娩に与える影響の2つに分けて考えなければ混乱をきたしやすい。

麻酔自体による副作用および合併症

　麻酔自体による副作用および合併症は表2に示すとおりである。致死的合併症といわれる全脊髄くも膜下麻酔と局所麻酔薬中毒はここに分類される。これらは，麻酔単独でも起こりうるものがほとんどであるが，その頻度や対応法が妊婦において特徴的なものもある。これらは麻酔に習熟したものが解決する問題である。

Chapter 45～48
⇨ p.90～参照

麻酔が分娩に与える影響

　麻酔が分娩に与える影響は上記に比べ頻度も高く，臨床現場において最も無痛分娩の管理を難しくしている原因のひとつと考えられている

（表3）。ただし，麻酔が分娩に与える影響がなくても，潜在的に同様の状況が起こりうることも認識しておくべきである。

さらに，分娩の進行状況によっては，**麻酔の影響による分娩の急速な進行や分娩の遷延のどちらも起こりうる**ため，注意を要する（これらの影響に関しては，分娩の3要素に分けて後述する）。これらは，産科医，助産師などの分娩担当者が解決する。

Chapter 59〜62
⇨p.118〜参照

表1　無痛分娩の利点

快適性	安全性
・痛くない（痛みが少ない）	・麻酔前評価がなされている
・分娩前の恐怖心が減る	・超緊急帝王切開への対応がしやすい
・産後の疲労が軽減される	

表2　麻酔自体の副作用と合併症

副作用	合併症
・血圧低下	・全（高位）脊髄くも膜下麻酔
・搔痒感	・局所麻酔薬中毒（即発・遅発）
・母体発熱	・神経損傷
	・アナフィラキシーショック
	・硬膜外血腫・膿瘍
	・UDP→PDPH

UDP；unintentional dural puncture
PDPH；postdural puncture headache

表3　麻酔が分娩に与える影響

分類	タイミング	合併症	参照Chapter
娩出力	麻酔導入時	胎児一過性徐脈	50
	麻酔維持	続発性微弱陣痛	59
	児娩出時	怒責力低下	60
	児娩出後	弛緩出血	69
産道	麻酔導入時	分娩の急速な進行	61
	麻酔維持	回旋異常	62

参考文献

1) Tzeng YL, Yang YL, Kuo PC, et al: Pain, Anziety, and Fatigue During Labor: A Prospective, Repeated Measures Study. J Nurs Res 2017; 25: 59-67.

Chapter 3 日本の無痛分娩の現状は？

Point

- ☑ 日本の無痛分娩率の増加はコロナ禍で加速し，2022年時点で10％に迫る勢いである。
- ☑ 日本では分娩取り扱い施設が分散しているため，診療所主体で無痛分娩が普及したという特徴がある。
- ☑ 無痛分娩の安全な普及のためには，国民の無痛分娩リテラシーの向上も必要であるも念頭に置く。

日本の無痛分娩率

わが国の無痛分娩率は2007年に2.8％だったものが，2020年には8.6％へ増加し[1]，約10年間で3倍に増加したことになる（図1）。現在も無痛分娩数が増加しているが，逆に出生数自体は減少しているため，無痛分娩率は今後も増加すると考えられる。総務省ホームページなどの入手可能な資料をもとに世界各国の出生数と無痛分娩率から無痛分娩実施数を推計すると，2019年時点で日本は世界第12位（図2）であったと推測される。

無痛分娩普及の経緯

日本では分娩取り扱い施設が分散しているため，診療所を主体に無痛分娩が普及したという特徴がある。2016年の調査結果（表1）から，病院においては，47％の施設で無痛分娩に麻酔科医がかかわっていた。一方，診療所ではその割合は1割にも満たなかった。わが国における無痛分娩の65％は，常勤麻酔科医がいない施設で行われているデータもある[2]。今後は，分娩取り扱い施設の集約化と産科麻酔科医の育成という課題をどのように解決していくかにかかっている。

無痛分娩リテラシー

このような社会環境の中で無痛分娩が安全に普及していくためには，医療従事者だけでなく患者およびその家族も無痛分娩をある水準までは理解しておく必要がある。無痛分娩がどのような医療行為で，どのような利点と欠点があるのかを理解したうえで，自らが無痛分娩を選択するという"無痛分娩リテラシー"の向上が，無痛分娩の質と安全性を向上させていくと考えられる。

図1　日本の無痛分娩率

2007年時点で2.8%だった日本の無痛分娩率は，2016年には6.1%と約10年で倍増し，2020年には総分娩数の減少もあり，その率は急増している。

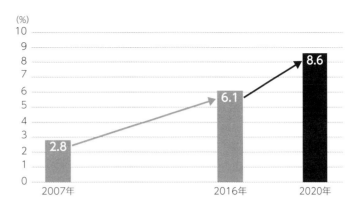

図2　世界の無痛分娩実施数

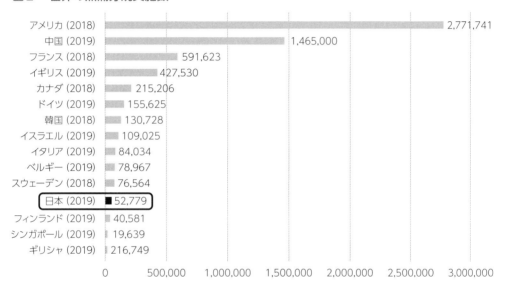

	アメリカ (2018)	2,771,741
	中国 (2019)	1,465,000
	フランス (2018)	591,623
	イギリス (2019)	427,530
	カナダ (2018)	215,206
	ドイツ (2019)	155,625
	韓国 (2018)	130,728
	イスラエル (2019)	109,025
	イタリア (2019)	84,034
	ベルギー (2019)	78,967
	スウェーデン (2018)	76,564
	日本 (2019)	52,779
	フィンランド (2019)	40,581
	シンガポール (2019)	19,639
	ギリシャ (2019)	216,749

表1　日本の無痛分娩の麻酔管理者

	病院	診療所
産科医	62.7%	84.9%
産科医（麻酔科標榜医資格）	7.4%	12.9%
麻酔科医	47.0%	9.1%

参考文献

1) JALA（無痛分娩関連学会・団体連絡協議会）：わが国の無痛分娩の実態について（2020年度医療施設（静態）調査の結果から）．https://www.jalasite.org/archives/mutsuu/
2) Mazda Y, Uokawa R, Tanabe S, et al: Current situation of labor epidural analgesia in Japan: a cross-sectional study. Int J Obstet Anesth 2020; 44: 56-7.

Chapter 4 無痛分娩という医療の特徴は？

Point

- ☑ 無痛分娩という医療には，知識・技術的観点とチーム医療的観点の2つの側面がある。
- ☑ 知識・技術的観点においては，信頼できないカテーテルをいかに見逃さないかということに尽きる。
- ☑ チーム医療的観点は，特に総合病院では重要で，日本の無痛分娩の普及における最大の課題と考えられる。

知識・技術的観点（カテーテルの信頼性の確保）

硬膜外無痛分娩の致死的合併症（全脊髄くも膜下麻酔と局所麻酔薬中毒）は，カテーテルの迷入が最初の原因となる。カテーテルの先端がくも膜下あるいは血管内に迷入しているにもかかわらず，**それに気づかず投薬してしまうことによって，これら致死的合併症は引き起こされる**（図1)[1]。また，無痛分娩の麻酔は手術麻酔と比較し，かなり低濃度の薬剤を使用するため（表1），カテーテルの先端位置による影響を受けやすいと考えられる。つまり，**無痛分娩はカテーテルの先端位置に大きく依存する医療行為**ということもできる。

Chapter 44
⇒ p.88参照

このような観点からも，患者にカテーテルからの投薬の権限を許可する「PCAボタンの贈呈」という行為は非常にハードルの高い意思決定と考えなければならない。

Chapter 41
⇒ p.82参照

そのため，カテーテルのくも膜下迷入あるいは血管内迷入がない状態，いわゆる"**信頼できるカテーテル**"であることを厳重に確認する作業を決して怠ってはならない。言い換えると，無痛分娩の安全においては，**信頼できないカテーテルをいかに見逃さないかということが最重要事項**となる。

Chapter 45, 47
⇒ p.90, 94参照

Chapter 54, 64
⇒ p.108, 128参照

Chapter 55
⇒ p.110参照

チーム医療的観点（チームメンバーの多様性の尊重）

特に総合病院での無痛分娩立ち上げプロジェクトの場合，最も問題になることの1つに部門間の意見の衝突が挙げられる。このような悲劇を回避するためには，チームメンバーの多様性を尊重し，同じゴールを見据えた一体感を醸成する働きかけ（ダイバーシティ・マネジメント）（図2）が必要である[2]。

産科，看護部（助産師），麻酔科という価値観や職能の違う集団が，

ダイバーシティ・マネジメント
本来は，人種や価値観の違う人たちを束ね，プロジェクトを推進する意味で用いられる用語。本書では，産科医，助産師，麻酔科医はそれぞれ，職能や専門性が違うだけでなく，さらに価値観も違う集団であることを理解するために用いた。

共通する目的に向かってプロジェクトを推進していくことが重要である。しかし，"言うは易く行うは難し"とはまさにこのことで，現時点で成功している施設ではプロジェクト・リーダーの強烈なリーダーシップなどの属人的な要素が強い。総合病院での無痛分娩立ち上げプロジェクトでは，エビデンスとはまったく違うアプローチを必要とする。

図1　致死的合併症発症のメカニズム

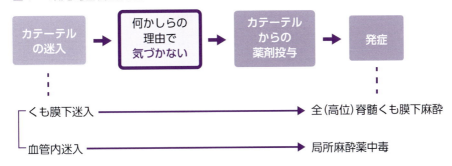

表1　無痛分娩と手術麻酔における局所麻酔薬濃度の比較

	硬膜外麻酔	脊髄くも膜下麻酔
無痛分娩	0.1％前後のアナペイン®あるいはポプスカイン®	0.125％程度に希釈したマーカイン®
手術麻酔（帝王切開）	0.25％〜0.5％アナペイン®あるいはポプスカイン®	0.5％マーカイン®高比重

図2　ダイバーシティ・マネジメント

部門間コンフリクト

ダイバーシティ・マネジメント

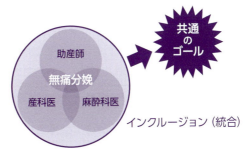

参考文献

1) Kingsley C, McGlennan A, Brown J, et al: The Labour Epidural: Troubleshooting. Available at: https://resources.wfsahq.org/atotw/the-labour-epidural-troubleshooting/ Accessed on July 29, 2022.
2) ジャン＝バティスト・アニー，百合田香織：Google流ダイバーシティ＆インクルージョン：インクルーシブな製品開発のための方法と実践．ビー・エヌ・エヌ，東京，2021．

Chapter 5 医療従事者は無痛分娩をどう捉えるべきか？

Point

- ☑ 無痛分娩は，基本的に妊婦が主体的に望んだ「バースプラン」である。
- ☑ 助産師は妊婦に最も信頼される職種であり，無痛分娩でも助産師のサポートは必要である。
- ☑ 無痛分娩に伴う妊婦の罪悪感や敗北感を払拭することも助産師の重要な役割である。

無痛分娩というバースプラン

"痛くないお産"を望んで無痛分娩という分娩のプロセスを選択するのは妊婦であり，その選択は尊重されるべき「バースプラン」の1つである。したがって，私たち医療従事者は，バースプランの達成のために自らのプロフェッショナリズムを発揮しなければならない[1]。万が一，その無痛分娩が医学的に安全でないと判断された場合には，全力でバースプランの変更を提案しなければならない。一方，仮に医療従事者自身が無痛分娩にネガティブな価値観をもっていたとしても，決してそれを妊婦に押し付けてはならない。

医療従事者それぞれの役割

医師

無痛分娩というバースプラン達成のために，医師には適切な医療介入が求められる。これには，**麻酔管理自体（麻酔）と麻酔によって影響を受けた分娩の管理（お産）**という2つがあり，この管理を産科医だけで行うか，麻酔科医と分担するかは施設の状況による。したがって，無痛分娩は「麻酔によって影響を受けた分娩」であるため，麻酔自体の理解だけでは無痛分娩全体の管理は難しいと考えるべきである。

Chapter 2, 43, 58
⇨ p.4, 86, 116参照

助産師

助産師は妊婦に寄り添い，妊娠・分娩の全過程をサポートする職種である。この場合の全過程とは，外来でのバースプランの策定から産後の授乳・育児に至るまでを指し，それゆえ助産師は妊婦から最も信頼されることが多い[2]。もちろん，無痛分娩を選択したからといって，助産師からのサポートが必要でなくなるわけではない。

また，無痛分娩を選択した妊婦は，産みの苦しみから逃れたということに対する罪悪感を有していることがある。それにより，**実際に硬膜外カテーテルの先端位置が不適切な場所（この場合の最悪のケースは血管**

Chapter 71
⇨ p.142参照

内迷入)にあり,鎮痛効果が発現していなくても,妊婦が痛みを我慢し,発見が遅れるリスクがある。

Chapter 47
⇨ p.94参照

これは,合併症の早期発見を妨げることにつながりかねない。このような罪悪感を払拭することも助産師の大きな役割となる。

また,バースプランの未達成と産後うつとの関係を示唆する報告もある。

無痛分娩から帝王切開術になった場合,そして無痛分娩を希望していなかった妊婦が,途中で痛みに耐えきれず無痛分娩を選択した場合(飛び込み無痛分娩)の敗北感のケアも助産師の重要な役割と考えられる。

Chapter 12
⇨ p.24参照

図1 バースプラン
妊婦にはそれぞれ自分の望んだバースプランがあり,無痛分娩もその1つに過ぎないが,医学的に問題なければ尊重されるべきであろう。

図2 無痛分娩における医療従事者の役割
医療従事者は,それぞれの専門性を活かし,妊婦の抱く"負の感情"を払拭する役割も担っている。

参考文献

1) Cook K, Loomis C: The Impact of Choice and Control on Women's Childbirth Experiences. J Perinat Educ 2012; 21: 158-68.
2) Wong N, Browne J, Ferguson S, et al: Getting the first birth right: A retrospective study of outcomes for low-risk primiparous women receiving standard care versus midwifery model of care in the same tertiary hospital. Women Birth 2015; 28: 279-84.

Chapter 6 無痛分娩に必要な薬剤・機器は？

Point

- ☑ 無痛分娩の麻酔に用いられる薬剤は，局所浸潤麻酔として投与される薬剤，硬膜外腔に投与する薬剤，脊髄くも膜下腔に投与する薬剤の大きく3つに分けられる
- ☑ 硬膜外腔には，低濃度の長時間作用型局所麻酔薬とオピオイドを組み合わせて用いることが多い
- ☑ 無痛分娩の麻酔管理に欠かせないPCAポンプには，機械式とディスポーザブル型がある

無痛分娩で用いる薬剤（表1）

局所浸潤麻酔として投与される薬剤

局所浸潤麻酔には，短時間作用型の局所麻酔薬を選択する。1%キシロカイン®（1%リドカイン）や1%カルボカイン®（メピバカイン）を使用することが多い。

Chapter 25 ⇨p.50参照

硬膜外腔に投与する薬剤

硬膜外腔に投与する薬剤は，局所麻酔薬とオピオイドを組み合わせることが一般的である[1]。無痛分娩における理想的な薬剤は，"痛みは取れるが足にもお腹にも力が入り続ける"状態，つまり分離神経遮断を長時間提供するものである。

Chapter 37 ⇨p.74参照

このような**分離神経遮断**という特徴を有する局所麻酔薬としては，長時間作用型のアナペイン®（ロピバカイン）やポプスカイン®（レボブピバカイン）が挙げられる。キシロカイン®は分離神経遮断が難しく，無痛分娩には適していない[2]。

無痛分娩においては，運動神経が遮断されると回旋異常や怒責力低下となりやすく，器械分娩率が増加する[3]。したがって，運動神経への影響を最小にする目的で，アナペイン®とポプスカイン®のどちらも0.1%前後の濃度に希釈して用いられる。しかし，この濃度では鎮痛作用が減弱するため，運動神経自体には影響しないフェンタニルなどのオピオイドを少量添加するという工夫がなされている。

Chapter 60, 62 ⇨p.120,124参照

くも膜下腔に投与する薬剤

くも膜下腔に投与する薬剤は，0.5%高比重マーカイン®（ブピバカイン）やフェンタニルなどのオピオイドを生理食塩水と混合して用いることが多い。具体的な投与量は，別項目を参照されたい。

Chapter 39, 40 ⇨p.78～参照

無痛分娩で用いる機器（図1）

　無痛分娩の麻酔を管理するうえで欠かせない医療機器は，通称"PCAポンプ"といわれているもので，さまざまなメーカーから発売されている。持続投与の流量，ボーラス投与量，ロックアウト時間などを設定することができる。現在，機械式のものとディスポーザブル型のものがある。

　機械式のものはPIB機能が付いていることが特徴的である。一方，ディスポーザブル型のものは，以前は術後鎮痛用だけであったが，硬膜外無痛分娩用のものも開発された。

Chapter 51
⇨p.102参照

PIB；programmed intermittent bolus

Chapter 52
⇨p.104参照

> **Memo**
> **分離神経遮断**
> 局所麻酔薬は，太い神経線維よりも細いもののほうが神経遮断効果を発現しやすいという特徴がある。この太い神経線維（主に運動神経）と細い神経線維（主に感覚神経）への局所麻酔薬の作用の違いから，感覚神経（痛覚）が優先的に遮断され，運動神経への影響が少ない状態を分離神経遮断という。

表1　無痛分娩で用いる薬剤の種類と特徴

使用目的	薬剤の種類	薬剤名	特徴
局所浸潤麻酔	局所麻酔薬	1％キシロカイン®	短時間作用型
		1％カルボカイン®	
硬膜外麻酔	局所麻酔薬	アナペイン®	長時間作用型
		ポプスカイン®	
	鎮痛薬	フェンタニル®	オピオイド（麻薬性鎮痛薬）
脊髄くも膜下麻酔	局所麻酔薬	マーカイン®	長時間作用型
	鎮痛薬	フェンタニル®	オピオイド（麻薬性鎮痛薬）

図1　無痛分娩で用いる機器

a：CADD®-Solis

（スミスメディカル・ジャパン株式会社より提供）
機械式ポンプ

b：クーデック®エイミーPCA

（大研医器株式会社より提供）

c：楽々フューザー®

（オーベクス株式会社より提供）
ディスポーザブル型ポンプ

参考文献
1) Hawkins JL: Epidural analgesia for labor and delivery. N Engl J med 2010; 362: 1503-10.
2) Columb MO, Lyons G. Determination of the Minimum Local Analgesic Concentrations of Epidural Bupivacaine and Lidocaine in Labor. Anesth Analg 1995; 81: 833-7.
3) Wang TT, Sun S, Huang SQ: Effects of Epidural Labor Analgesia With Low Concentrations of Local Anesthetics on Obstetric Outcomes: A Systematic Review and Meta-analysis of Randomized Controlled Trials. Anesth Analg 2017; 124: 1571-80.

Chapter 7 無痛分娩の安全を支える薬剤は？

Point

- ☑ 厚生労働省医政局から安全を支える物品リスト（薬剤）を参考にするよう通知されている。
- ☑ 局所麻酔薬中毒の治療に用いるイントラリポス輸液20%®は備えておくことが望ましい。
- ☑ 産科危機的出血に備えて，ボルベン®は分娩フロアに常備しておく。

2018年に厚生労働省医政局から『無痛分娩の安全な提供体制の構築についての提言』およびそれに基づく「自主点検表」が通知された[1〜3]。その点検表をもとに，無痛分娩の安全性を支える物品（薬剤）についてリストアップし，解説する。

無痛分娩の安全を支える薬剤（表1）

消毒薬

皮膚消毒には即効性のあるアルコールを含んだものが使用されることが多い。

Chapter 23
⇨p.46参照

救急薬品

施設内の統一された救急薬品，および産科および産科麻酔特有の病態に対応できるものを追加し，各施設でカスタマイズしなければならない。特に，**局所麻酔薬中毒の際に使用することが推奨されているイントラリポス輸液20%®（静注用脂肪製剤）は必須**である[4]。また，緊急子宮弛緩の際に使用することがあるミリスロール®（ニトログリセリン）は"自主点検表"には含まれていないが，子宮過収縮などによる胎児一過性徐脈に備え準備しておきたい薬剤である。

Chapter 48
⇨p.96参照

Chapter 50
⇨p.100参照

局所麻酔薬中毒の症状の1つである痙攣や子癇発作などで用いるセルシン®（ジアゼパム）は，子宮内容除去術の際に用いることも多く，ミダゾラムより産科医になじみのある薬剤といえる。

輸液製剤

細胞外液（生理食塩水を含む）だけでなく，**産科大量出血に備えて膠質液を準備しておく。なかでもボルベン®**は現時点で最も有用性が高い。

● Column ●

2種類の昇圧薬の使い分け

分娩取り扱い施設では，血圧低下の際には必ず心拍数を確認し，ショック・インデックス（Shock Index；SI）を確認することが基本とされている。これは，産科出血の際に外出血量が少なくても危機的なことがあり，計測された出血量だけに頼ることなく，バイタルサインの異常に重きを置くということにも通じる。昇圧薬の選択でも同じことがいえ，目安としては徐脈を伴う低血圧（SI＜1.0）にはエフェドリン®，頻脈を伴う低血圧（SI≧1.0）にはネオシネジン®を選択することが望ましい。つまり，**低血圧時に心拍数を確認するということが常に行われていれば，昇圧薬の選択は難しく**ない。

表1 無痛分娩の安全を支える薬剤

薬剤の分類	薬剤名	使用目的
消毒薬	イソジン®（ポビドンヨード）	皮膚消毒
	クロルヘキシジン溶液	
	オラネジン®	
救急薬品	アドレナリン注0.1%シリンジ®	アナフィラキシーショック、心肺蘇生
	硫酸アトロピン®	徐脈（迷走神経反射含む）
	エフェドリン®	昇圧薬（徐脈を伴う低血圧）、緊急子宮弛緩＊
	ネオシネジン®	昇圧薬（頻脈を伴う低血圧）
	リドカイン静注用2%シリンジ®	抗不整脈薬（ただし、局所麻酔薬中毒では禁）
	セルシン®（ジアゼパム）	抗痙攣薬
	ディプリバン®	鎮静薬（抗痙攣作用）
	エスラックス®	非脱分極性筋弛緩薬
	ブリディオン®	筋弛緩回復薬
	静注用マグネゾール®	弛緩の予防・治療
	イントラリポス輸液20%®	局所麻酔薬中毒の治療
	ミリスロール®	緊急子宮弛緩
輸液製剤	乳酸、酢酸、重炭酸リンゲル液	静脈路確保等
	生理食塩水	
	ボルベン®	循環血漿量保持

＊緊急子宮弛緩へのエフェドリン投与は *Chapter 50* ⇒ p.100参照

参考文献

1) 厚生労働省医政局：無痛分娩の安全な提供体制の構築について．
   https://www.mhlw.go.jp/file/06-Seisakujouhou-10800000-Iseikyoku/0000204859.pdf
2) 「無痛分娩の実態把握及び安全管理体制の構築についての研究」（研究代表者 海野信也）．無痛分娩の安全な提供体制の構築に関する提言．
   https://www.mhlw.go.jp/file/06-Seisakujouhou-10800000-Iseikyoku/0000204860.pdf
3) 無痛分娩取扱施設のための「無痛分娩の安全な提供体制の構築に関する提言」に基づく自主点検表．
   https://www.mhlw.go.jp/file/06-Seisakujouhou-10800000-Iseikyoku/0000204861.pdf
4) 日本麻酔科学会：局所麻酔薬中毒への対応プラクティカルガイド．
   https://anesth.or.jp/files/pdf/practical_localanesthesia.pdf

Chapter 8 無痛分娩の安全を支える機器は？

Point

- ☑ 厚生労働省医政局から安全を支える物品のリスト（機器）を参考にするよう通知されている。
- ☑ 致死的合併症に対応できるように，人工呼吸を中心とした蘇生器具の準備が必須とされる。
- ☑ 救急カートや麻酔器などの定期点検も怠らない。

2018年に厚生労働省医政局から『無痛分娩の安全な提供体制の構築についての提言』およびそれに基づく「自主点検表」が通知された[1〜3]。その点検表をもとに，無痛分娩の安全性を支える物品（**機器**）についてリストアップし，解説する。

無痛分娩の安全を支える機器（表1）

表1　無痛分娩の安全を支える機器

機器の分類	物品名
救急カート内の物品	酸素ボンベ
	酸素流量計
	バッグ・バルブ・マスク（あるいはアンビューバッグ）
	マスク（大人サイズ）
	酸素マスク（リザーバーバッグ付き）
	喉頭鏡（可能ならビデオ喉頭鏡：McGRATH（TM）など）
	気管チューブ（内径：6.0，6.5，7.0mm）
	スタイレット
	気管チューブ固定用テープ多数
	経口，経鼻エアウェイ
	上気道デバイス（ラリンジアルマスク®あるいはi-gel）
	吸引装置および吸引チューブ
	シリンジと針：多数
	点滴用ライン，三方活栓，延長チューブ：多数
医療機器	麻酔器：設置場所は分娩室でなくても良い
	除細動器あるいはAED
	生体モニター（心電図，非観血的自動血圧計，パルスオキシメータ）
輸血関連用品	輸血用フィルター
	院内マニュアル

蘇生器具

一般的な救急カート（図1）に準ずるが，分娩中の妊婦は気管挿管の難易度が高いため，ビデオ喉頭鏡（McGRATH™など）の準備・習熟が勧められる。また，**妊婦では誤嚥性肺炎のリスクが高い**ため，吸引装置とカテーテルの準備は非常に重要と考えられる。

麻酔器

設置場所は手術室でもよいが，定期的に始業点検を行う。

医療機器

母体用の生体モニターは，必要時に心電図を装着できるものが望ましい。また，AED（除細動器）の設置場所から分娩部までの導線も確認しておく。

図1　救急カート

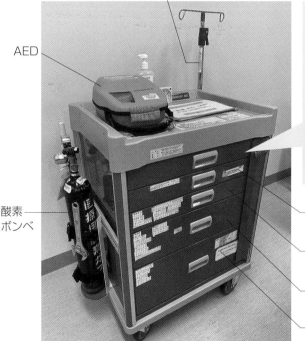
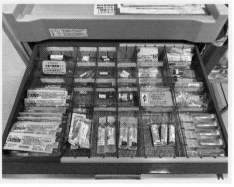

a：（輸液作成用の点滴棒、AED、酸素ボンベ）
b：救急薬品

シリンジや針
点滴ルート用品
気道確保関連
バッグ・バルブ・マスク輸液
脂肪製剤など

参考文献

1) 厚生労働省医政局：無痛分娩の安全な提供体制の構築について．
https://www.mhlw.go.jp/file/06-Seisakujouhou-10800000-Iseikyoku/0000204859.pdf
2) 「無痛分娩の実態把握及び安全管理体制の構築についての研究」（研究代表者 海野信也）．無痛分娩の安全な提供体制の構築に関する提言．
https://www.mhlw.go.jp/file/06-Seisakujouhou-10800000-Iseikyoku/0000204860.pdf
3) 無痛分娩取扱施設のための「無痛分娩の安全な提供体制の構築に関する提言」に基づく自主点検表．
https://www.mhlw.go.jp/file/06-Seisakujouhou-10800000-Iseikyoku/0000204861.pdf

Chapter 9

無痛分娩の安全を支える提供体制は？

Point

- ☑ 無痛分娩取扱施設は，無痛分娩麻酔管理者を配置し診療上の責任を明確にする。
- ☑ 施設管理者・無痛分娩麻酔管理者・担当産科医・麻酔担当医は，その役割を果たすことができる範囲で兼務可能である。
- ☑ 無痛分娩の業務分担は，麻酔業務と麻酔という医療介入が分娩に与える影響に対応するという業務の2つに分けて考える。

無痛分娩の診療体制（図1）

提言には，無痛分娩取扱施設において，診療上の責任を明確にするために無痛分娩麻酔管理者を配置するように記されている。この場合，総合病院と診療所を分けて考えなければならない。

総合病院では，無痛分娩麻酔管理者を麻酔科の責任者が担うことが多い。ただし，麻酔担当医はその無痛分娩麻酔管理者の裁量に委ねられるが，麻酔科医だけに限らない施設も少なくない。

診療所では麻酔科医が常勤であることが少なく，施設管理者・無痛分娩麻酔管理者・担当産科医・麻酔担当医は，その役割を果たすことができる範囲で兼務可能とされている[1]。

無痛分娩という医療の特徴からみた業務分担（図2）

そもそも正常な分娩であれば，助産所で管理することもできる。しかしながら，周産期医療の進歩によって助産師にはできない医療介入が必要となってくることが多くなってきたため，現在では多くの場合で病院や診療所における分娩という形態をとっている。

無痛分娩という医療の特徴は，*Chapter 1*でも述べたように，無痛分娩が"**麻酔という医療介入を行う分娩**"であるという点に尽きる。したがって，周産期医療がたどってきた道筋同様，産科的管理に加えて，新たに「麻酔」という医療介入が分娩に与える影響に対応するという業務が発生する。

麻酔業務はその専門性において麻酔科医が担当することが望ましいが，トレーニングを受けた産科医が担うこともできる。実際の医療現場では，産科医が麻酔業務を行っている施設のほうが多い状況にある。ただし，**麻酔合併症やそれに伴う蘇生あるいは硬膜外カテーテル挿入など**

Chapter 46, 48
⇒p.92, 96参照

の専門性が高い麻酔業務に関しては，麻酔科医のサポートが得られる環境整備も必要であろう。

　一方，麻酔に影響された分娩の管理は，麻酔科医に委ねることはできないため，産科医と助産師が知識とスキルを身に着けていかなければならない。

図1　無痛分娩の診療体制

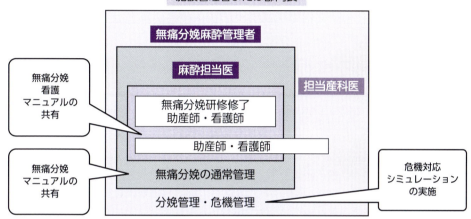

・施設管理者・無痛分娩麻酔管理者・担当産科医・麻酔担当医は，その役割を果たすことができる範囲で兼務することが可能。兼務に際しても，無痛分娩麻酔管理者は，無痛分とそれに関連する業務の管理・運営責任を負い，リスク管理に責任を負うものとする。
・無痛分娩研修修了助産師は，その役割を果たすことができる範囲で，自ら分娩介助を行うことが可能。

図2　業務分担

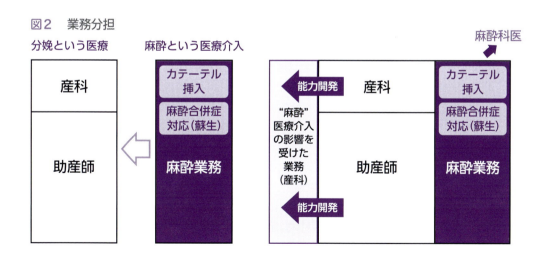

参考文献
1）「無痛分娩の実態把握及び安全管理体制の構築についての研究」（研究代表者 海野信也）．無痛分娩の安全な提供体制の構築に関する提言．https://www.mhlw.go.jp/file/06-Seisakujouhou-10800000-Iseikyoku/0000204860.pdf

Chapter 10　無痛分娩の安全を支える人材育成は？

Point

- ☑ 厚生労働省医政局からの通知の中で無痛分娩の安全を支える人材育成についても言及されている。
- ☑ 医師だけでなく，助産師・看護師の能力開発も必要である。
- ☑ 無痛分娩関連学会・団体連絡協議会（JALA）が各種講習会を提供している。

医師の育成

無痛分娩が鎮痛（麻酔）という医療介入を行う分娩である以上，**分娩に関する知識・技術だけでなく，麻酔に関する知識・技術が必要**であることはいうまでもない。また，その延長線上では，急変時にも対応できなければならない。そのため，厚生労働省の『無痛分娩の安全な提供体制の構築に関する提言』[1]では，麻酔科専門医資格，麻酔科標榜医資格または産婦人科専門医資格を有している者が麻酔管理をするよう記されている。その本質について，知識，技術（スキル），急変対応の3つに分けて解説する。

知識

無痛分娩全体あるいは麻酔を担当する医師は，無痛分娩の麻酔管理とその麻酔によって影響を受ける分娩の管理にも習熟している必要がある。現在，学会やセミナー（動画コンテンツ含む）などの"座学"で知識を習得する環境は整いつつあり，無痛分娩関連学会・団体連絡協議会（JALA）が提供するカテゴリーAおよびBの講習会がその代表的なものとなっている（2年に1回程度の受講を推奨）（表1）。

技術（スキル）

無痛分娩では知識だけでなくその麻酔手技も，無痛分娩の成否と安全性には重要な要素となる。麻酔手技の習得には，一定期間（症例数）のトレーニング（研修）が必要とされている。そこで，各無痛分娩取扱施設のホームページに麻酔を担当する医師の研修歴（研修施設，研修期間および症例数），現在までの無痛分娩症例数の実績などを掲載することが推奨されている。

ただし，産婦人科医向けの麻酔トレーニング施設や技術チェック機関は整備されていない。

急変対応

無痛分娩では，産科救急や新生児救急に加え，麻酔に関する急変が起こりうるのが特徴である。そのため，特に心肺蘇生（気道確保を含む）が実施できることが求められる。現在，JALAが提供するカテゴリーCの講習会（シミュレーション・コース）がその代表的なものとなっている（2年に1回程度の受講を推奨）（表1）。

助産師（看護師）の育成

無痛分娩が"分娩"である以上，助産師の役割が大きいことは自明であるが，具体的に何が求められているのか．表2に示すように，助産師（看護師）が麻酔に関する知識をある程度習得することで，無痛分娩においても重要な役割を担うのである．

Chapter 71
⇨ p.143 Column参照

表1　無痛分娩の安全のための講習会

カテゴリー		A	B	C	D
講習会の内容		安全な産科麻酔の実施と安全管理に関する細心の知識の修得および技術向上のための講習会	産科麻酔に関連した病態への対応のための講習会	救急蘇生コース	安全な産科麻酔実施のための細心の知識を修得し，ケアの向上をはかるための講習会
無痛分娩麻酔管理者	産婦人科専門医	●	●	○	
	麻酔科専門医	●			
麻酔担当医	麻酔科専門医				
	麻酔科認定医				
	麻酔科標榜医		●	●	
	産婦人科専門医	●	●	●	
無痛分娩研修修了助産師・看護師				○	●
JALA認定コース		<u>JALA主催コース</u>	J-MELS硬膜外鎮痛急変対応コース	J-MELSベーシックコース，PC 3，ACLS，ICLS	<u>JALA主催コース</u>

●：定期的な受講が必要，○：受講歴があれば可，下線：e-learningによる受講可能．

表2　助産師（看護師）に求められる4つの役割（厚生労働省の提言から抜粋）

① 母児の安全とその家族の納得を支援すること
② 異常を予測し医師と連携すること
③ 妊婦の全身状態とバイタルサインを観察すること
④ 上記観察と鎮痛の状況を合わせて麻酔担当医師に報告すること

参考文献

1) 「無痛分娩の実態把握及び安全管理体制の構築についての研究」（研究代表者 海野信也）．無痛分娩の安全な提供体制の構築に関する提言．https://www.mhlw.go.jp/file/06-Seisakujouhou-10800000-Iseikyoku/0000204860.pdf

Chapter 11 無痛分娩の安全管理（急変時の体制）

Point

- ☑ 無痛分娩における急変時の体制作りは，院内と院外に分けて取り組む必要がある。
- ☑ 医師の急変対応能力習熟だけでなく，看護スタッフのNCPRおよび指示の遂行能力向上の両方が必須と考えられる。
- ☑ 無痛分娩を取り扱う診療所は，麻酔科医のいる総合病院との連携体制を構築しておくことが望ましい。

急変時の体制（院内）

診療所での無痛分娩管理中に急変が起こった場合は担当医が一人であることも多く，母体への対応に集中しなければならない。**その場合，助産師・看護師が新生児への対応を行わねばならない。看護スタッフが習得しておくべきスキルを表1に示す。特にBasic Life Support (BLS) とNCPRの習得は必須である。**

また，実際の急変時の対応では，医師を**コマンダー**としたチームとして機能する必要がある。これを実現するには，施設内でもシミュレーションを繰り返し行っていくことが望ましい。医師はJALA等の提供するシミュレーションで急変時対応に習熟し，看護スタッフは医師の指示を正確に遂行する能力を日々修練しておかねばならない。

BLS；basic life support
NCPR；neonatal cardiopulmonary resuscitation

急変時の体制（院外）

無痛分娩を取り扱う診療所は，総合病院との連携体制を構築しておくことが望ましい。さらに，その施設に無痛分娩に習熟している麻酔科医がいることが理想的である。そのような連携により，麻酔合併症〔致死的合併症やPDPH（硬膜穿刺後頭痛）〕への対応をよりスムーズに進めることができる。また，産科医療自体に母体搬送や産褥搬送のリスクが内在しているため，普段からのコミュニケーションが重要であることはいうまでもない。

Chapter 44
⇨p.88参照

Chapter 73〜76
⇨p.146〜参照

PDPH；post dural puncture headache

表1　看護スタッフが習得しておく要件

要件	詳細
新生児蘇生	有効期限内のNCPRの資格を有し，新生児の蘇生ができる
救急蘇生	救急蘇生コース(BLS)の受講歴がある
麻酔学習	麻酔に関する関係学会や団体の講習会を2年に1回程度受講する
臨床能力	自施設において，医師の指示に対して速やかに行動できる

図1　急変時の体制（院内）

急変時は，医師は母体に専念するため，新生児に関しては助産師で対応できるようにしておく。また，医師の指示を忠実に達成できるように体制を整えておく。

図2　急変時の体制（院外）

無痛分娩を取り扱う施設（特に1次施設）は，無痛分娩に関することでも地域の高次医療施設との連携が必要になってくる。

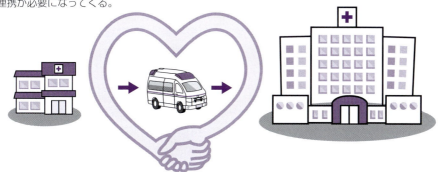

参考文献

1) 無痛分娩の安全な提供体制の構築について．
   https://www.mhlw.go.jp/file/06-Seisakujouhou-10800000-Iseikyoku/0000204859.pdf
2) 無痛分娩の安全な提供体制の構築に関する提言．
   https://www.mhlw.go.jp/file/06-Seisakujouhou-10800000-Iseikyoku/0000204860.pdf
3) 無痛分娩取扱施設のための，「無痛分娩の安全な提供体制の構築に関する提言」に基づく自主点検表
   https://www.mhlw.go.jp/file/06-Seisakujouhou-10800000-Iseikyoku/0000204861.pdf

Chapter 12 鎮痛法と陣痛起点の組み合わせと無痛分娩のプロトコールとは？

Point

- ☑ 鎮痛法と陣痛起点の組み合わせで無痛分娩を分類する。
- ☑ 鎮痛法は，硬膜外麻酔（DPE含む），CSEA（脊髄くも膜下麻酔含む），IV-PCAに分類され，オンデマンド（24時間体制）無痛分娩と計画無痛分娩に分類される。
- ☑ プロトコールは，施設内で取り決めた麻酔導入，維持（PCA装置の設定など），トラブル対応などに関するルールである。

鎮痛法（麻酔法）（図1）

　最も多く選択されている鎮痛法は，**硬膜外麻酔**である。そのため，硬膜外無痛分娩といわれることもある。次に多いのが脊髄くも膜下硬膜外併用麻酔（CSEA）で，その確実な初期鎮痛と硬膜穿刺によるDPE効果により，近年増加傾向にある。ただし，初期鎮痛の獲得からPCEAへの移行（乗り換え）の選択肢が増えるため，麻酔に習熟している術者が管理する必要がある。また，**児娩出の直前や，硬膜外カテーテル挿入が困難な状況では，脊髄くも膜下麻酔を選択する場合もある**。なお，まれに行われているIV-PCAは本書では推奨していないため，別の書籍に譲る。

Chapter 37～40
⇨p.74～参照

Chapter 42
⇨p.84参照

CSEA；combined spinal epidural anesthesia
DPE；dural puncture epidural
PCEA；patient controlled epidural analgesia

陣痛起点（図1，表1）

　陣痛起点とは，陣痛の「起こりかた」のことである。自然の陣痛が発来するのを待つ場合と人為的に陣痛を起こす場合（分娩誘発）に分けられる。このように陣痛の起こりかたによって，その後の麻酔対応が決まってくる。

　無痛分娩を開始する（麻酔を導入する）タイミングは，分娩がある程度進行してからになることが一般的である。その陣痛発来が自然に起こるのを待つ場合を**オンデマンド無痛分娩**，あるいは**24時間体制無痛分娩**と呼んでいる。一方，日中のマンパワーが多い時間帯に，計画的に陣痛を起こして対応しようとする場合は**計画無痛分娩**と呼び，日本ではこのタイプが多い。

● Column ●

計画無痛分娩の難しさ

計画無痛分娩は，実は予定通りに陣痛を起こすことが難しい。子宮頸管の熟化を待てば，予定よりも早く陣痛発来することがあり，逆に頸管熟化が悪いと分娩誘発に反応しないこともある。結局，マンパワーの多い日中に分娩にならないことも多いのである。

　これらの鎮痛法と陣痛起点の組み合わせは，施設の状況に合わせて選択すればよい。

プロトコール（表2）

その施設の**無痛分娩における鎮痛法と陣痛起点の組み合わせを臨床現場で安全に運用するためのルール**が"プロトコール（マニュアル）"であり，事前に取り決めた麻酔導入，維持（「PCA装置の設定」Chapter 51 など），トラブル対応などに関して遵守すべきものである。

図1　無痛分娩と陣痛起点の組み合わせ
無痛分娩は，鎮痛法と陣痛起点の組み合わせで分類される。一般的には鎮痛法はわかりにくいため，陣痛起点だけで分類されることが多い。

硬膜外麻酔
DPE technique
CSEA
脊髄くも膜下麻酔

オンデマンド
計画

表1　陣痛起点による利点と欠点

	利点	欠点
オンデマンド （24時間体制）	自然の陣痛発来に対応できる	マンパワーが必要
計画分娩	日程や時間を調整できる＊	医療介入が増える （頸管拡張，陣痛促進など）

＊実際，この調整は難しいこともある。

表2　プロトコール
無痛分娩の対応体制を臨床現場で運用するための事前に取り決めた"**ルール**"

麻酔導入	硬膜外／くも膜下
麻酔維持	PCA装置の設定，PIB
トラブル対応	BTP，その他

Chapter 13 無痛分娩の適応と禁忌は？

Point

- 禁忌がない限り，妊婦が希望すればだれでも選択できることが理想である。
- 無痛分娩の医学的適応には，鎮痛が母体の病態に有益なものと緊急帝王切開への移行する際の麻酔を安全に行うためのものとがある。
- 無痛分娩の禁忌にはさまざまな病態があり，それぞれしっかり理解しておく。

適応（表1）

"無痛分娩"というバースプランにおける1つの選択肢は，禁忌がない限り誰でも選択できることが理想的である。2018年に世界保健機構（WHO）は，ポジティブな出産体験のための分娩期ケアにおいて，健康な産婦が産痛緩和を求めた場合に，産婦の好みに合わせて，硬膜外鎮痛を使用することを推奨した。[1]

妊婦が希望する場合（※可）

無痛分娩を選択する妊婦は現在急増中であり，ほとんどの適応は妊婦の希望によるものである。

医学的に必要がある場合（医学的適応）（※推奨）

①鎮痛が母体の病態に有益な場合

精神的ストレスを避けたい場合や母体の循環動態の急激な変動を起こしたくない場合に選択される。後者には，先天性心疾患術後で経腟分娩が可能な妊婦や妊娠高血圧症候群（HDP）の妊婦が該当する。

②帝王切開への移行（コンバージョン）の麻酔を安全に行う準備をすべき場合

多胎妊娠のように緊急帝王切開になりやすい妊婦や肥満・挿管困難などの緊急時の全身麻酔を回避したい妊婦では，無痛分娩で使用している硬膜外カテーテルからの投薬によって帝王切開の麻酔を行うことができる場合は多い。ただし，上記の医学的適応の場合は高次施設での無痛分娩管理が望まれる。

HDP ; hypertensive disorder of pregnancy

Chapter 17
⇨ p.34参照

Chapter 64, 65
⇨ p.128〜参照

禁忌（表2）（※不可）

どんなに妊婦が希望しても，下記のような病態を呈する場合には，無痛分娩を行ってはならない。この場合も含めれば，基本的に区域麻酔の禁忌に準ずることになる。

妊婦が非協力的である場合

無痛分娩は，麻酔の体勢保持，痛みの申請およびコールドテスト時の

区域麻酔
硬膜外麻酔，脊髄くも膜下麻酔，末梢神経ブロックなどの麻酔法の総称。全身麻酔と異なり，原則患者は目覚めている。

応答など，妊婦との共同作業という側面があるため，協力が得られない場合は危険であるといわざるをえない。

医学的に避けるべき病態がある場合（"狭義の"禁忌）

一般的には区域麻酔の禁忌の相当する病態がある場合には，無痛分娩を選択すべきではない。**感染，出血傾向，末梢血管拡張が望ましくない心疾患，中枢神経系疾患，循環動態が不安定な病態**などが挙げられる。

特に，循環器系の合併症の種類（病態）によっては，全身麻酔による選択的帝王切開を含めた経腟分娩の是非から総合的に判断しなければならない。このような場合は，非常に高い専門性が求められる。

また，側彎症の場合には，麻酔科と相談し，個別対応する必要があると考えられる。

表1　無痛分娩の適応

適応	項目	具体例
妊婦の希望	希望	
医学的理由	鎮痛が母体の病態に有益 （現在の病態）	・精神的ストレスを避けたい ・循環動態の急激な変動を起こしたくない （先天性心疾患術後やHDPなどの症例で経腟分娩可能とされる場合）
	帝王切開への移行（コンバージョン） （未来の安全性対策）	帝王切開での全身麻酔回避したい （多胎，肥満，挿管困難，脊麻困難例など）

表2　無痛分娩の禁忌

禁忌	項目	具体例	解説
妊婦の拒否	拒否	非協力的な態度	麻酔の体勢をとれない場合も含む。
医学的禁忌	感染	穿刺部位感染 敗血症	・穿刺針により細菌などを硬膜外腔や脊髄くも膜下腔に導き入れ，硬膜外膿瘍や髄膜炎を引き起こす可能性がある。
	出血傾向	血小板減少 凝固異常 抗凝固療法中	・妊娠中は凝固能が亢進しているが，血小板が減少するような病態もあるため注意する。 ・血小板数は10万/mm^{3}未満は穿刺の是非を再検討する。 ・凝固能は問診で疑わない限り検査しないが，抗凝固療法中の妊婦ではしっかり検査する。
	心血管系	大動脈狭窄 閉塞性肥大型心筋症	・麻酔によって末梢血管の拡張が起こると，心拍出を維持できなくなる可能性がある。
	中枢神経系	多発性硬化症 脊椎や穿刺部位の手術歴	・神経伝達の遮断が不可逆になる可能性がある。 ・穿刺自体にリスクがある。
	循環動態 不安定	高度の脱水 出血	循環動態が不安定な状態を補正してからの麻酔導入が望ましい。

参考文献

1) 分娩期ケアガイドライン翻訳チーム：WHO推奨 ポジティブな出産体験のための分娩期ケア．医学書院（東京），2021年．

Chapter 14 インフォームドコンセントで何を伝えるか？

Point

- ☑ インフォームドコンセントの目的は，患者との信頼関係の構築と患者のリテラシー向上である。
- ☑ インフォームドコンセントは，陣痛発来前に麻酔前評価のタイミングで終えていることが望ましい。
- ☑ インフォームドコンセントの内容は，無痛分娩に関する一般論だけでなく，自施設の方法や成績についても説明する。

インフォームドコンセントの目的 (表1)

　無痛分娩に関する正しい情報を提供することで，患者および家族の不安や思い込み，あるいは過度の期待を和らげ，患者によりよい選択をする機会を提供する。また，患者と医療従事者との信頼関係を築き，最終的には医療従事者や医療施設を守ることにつながる。

　インフォームドコンセントのタイミングは，**分娩が開始する前の段階（陣痛発来前）で完了しておくべきであり，麻酔前評価も含めて妊娠36週までに終えておきたい**。陣痛が発来し，痛みを感じている状態での説明では十分とはいえないし，患者情報の聴取が不十分なため，危険でさえある。無痛分娩についての情報を患者は最初に知るべきであり，そこからチョイスする時間が必要である。それにより患者の無痛分娩に対するリテラシーも高まる。一方で，麻酔担当医が説明した合併症をちゃんと覚えている妊婦は，わずか20％という報告もある[1]。

Chapter 15 ⇨ p.30参照

　インフォームドコンセントの重要性は『無痛分娩の安全な提供体制の構築についての提言』でも言及されている[2]。無痛分娩において，患者目線では，「痛い・痛くない」という結果に目が行きやすい。しかし，無痛分娩を提供する医療従事者は，麻酔行為（プロセス）とその予測（利点・欠点）を説明し，納得していただかなければならない。

Chapter 1, 2 ⇨ p.2〜参照

インフォームドコンセントの内容

　無痛分娩に対するリテラシー向上の観点から，妊婦が無痛分娩の合併症を含む一般的知識を得ることは重要だと考えられる。しかし，一言で無痛分娩といっても，鎮痛法と陣痛起点，プロトコール，管理者などの組み合わせにより，その施設で行われる無痛分娩の形は異なる。したがって，**自施設の無痛分娩について，その方法や成績を説明しなければならない**。最近では，臨床研究の観点から同意書に研究に関する事項を含め

ている施設もある。

また，無痛分娩を希望する妊婦が多い場合，「無痛分娩クラス」を開催している施設もある。これは，状況によってオンラインや動画に置き換えることもでき，ウェブサイト上で閲覧できる施設もある[3]。

● Column ●

同意書に研究に関する記載が盛り込まれているべき？

わが国の無痛分娩は診療所を中心に普及してきたが、近年総合病院や周産期センターでも取り扱われている。それに伴って、臨床研究の対象になることもある。前向き研究では、一人ひとりの患者から文書による同意を得なければならないが、後ろ向き観察研究であれば、同意書内記載があれば研究することが可能となる。つまり、同意書に研究の記載がなければ、後ろ向き観察研究すらできないことになる。

表1　インフォームドコンセントの目的

患者がよりよい選択をする機会の提供
患者の無痛分娩リテラシー向上
患者の納得
信頼関係の構築
麻酔前評価およびその確認

表2　インフォームドコンセントで伝えるべき項目

提供する無痛分娩	無痛分娩の鎮痛法	
	陣痛起点	
	管理者	
麻酔ができない状況	患者側の要因	
	提供施設側の要因	
無痛分娩に関する一般論*	利点	快適性
		安全性
	欠点	麻酔自体の副作用と合併症
		麻酔が分娩に与える影響
施設特有の追加事項	計画の曜日指定など	

*利点と欠点の詳細に関しては，Chapter 2 参照

参考文献

1) Burkle CM, Olsen DA, Sviggum HP, et al: Parturient recall of neuraxial analgesia risks: Impact of labor pain vs. no labor pain. J Clin Anesth 2017; 36: 158-63.
2) 「無痛分娩の実態把握及び安全管理体制の構築についての研究」（研究代表者 海野信也）．無痛分娩の安全な提供体制の構築に関する提言．
3) https://www.mhlw.go.jp/file/06-Seisakujouhou-10800000-Iseikyoku/0000204860.pdf 聖隷浜松病院 無痛分娩クラス動画

Chapter 15 麻酔前評価では何を診るのか？

Point

- ☑ 無痛分娩は"麻酔という侵襲"を与える医療行為であるため，陣痛発来までに妊婦の状態を評価しておくべきである。
- ☑ 麻酔前評価の内容は，時間軸と診療分野ごとに分けて考える。
- ☑ 麻酔担当医は，その専門とする診療科にかかわらず，これらすべてを評価できなければならない。

麻酔前評価の目的

無痛分娩は"麻酔という侵襲"を与える医療行為であり，かつその行為がいわゆる"病気の治療に必要なもの"ではないため，手術麻酔以上に麻酔での合併症を避けたいという背景がある。したがって，**麻酔前に必ず妊婦の状態を麻酔科学的にも評価しなければならない**。そのため，無痛分娩を希望する妊婦は麻酔前評価のための外来を受診するようにしている施設もある。可能であれば，**陣痛が発来する前の妊娠36週までにインフォームドコンセントを行う**。無痛分娩を選択しても経腟分娩が保障されるわけではないため，緊急帝王切開術の麻酔も考慮して評価しなければならない。実際，評価内容も帝王切開術の麻酔前評価に準ずる。

Chapter 14 ⇨ p.28参照

外来時の麻酔前評価の内容（表1）

● 産科的評価

妊娠分娩歴や今回の妊娠経過を把握する。もちろん，無痛分娩に携わる麻酔担当医も理解しなければならない。特に，前回の分娩経過に問題があった場合は，入念に調べる必要がある。また，**妊娠高血圧症候群（HDP）などの産科合併症や胎児の状態は把握したい**。

Chapter 9 ⇨ p.18参照

Chapter 17 ⇨ p.34参照

● 麻酔科的評価

産科医が麻酔担当医であっても，麻酔科学的視点で評価できなければならない。

患者背景：肥満の有無，既往歴（母体合併症）およびアレルギーを確認しておく。いざ穿刺というタイミングで驚くことのないように，脊椎や穿刺部位の評価も忘れない。ラテックスアレルギーやアルコールでの皮膚障害などもきっちり問診しておきたい。また，**常用している内服薬やサプリメントも確認する**。

気道：開口障害や挿管困難が強く疑われる所見がないか確認する。

穿刺部位：側弯症や脊椎の手術後，高度の肥満などの確認をしておく。

Chapter 49 ⇨ p.98参照

Chapter 14 ⇨ p.28参照

血液検査：硬膜外針を使う以上，血液検査では血小板数の確認が欠かせない。問診で**凝固異常を少しでも疑った場合**（サプリメント含む）には凝固能検査も追加する必要がある。

麻酔開始直前の評価の内容 (表2)

産科的評価

分娩進行：児娩出までの時間や胎児の状態を確認し，麻酔法の決定にかかわるかどうか評価する。

麻酔科的評価

浮腫による変化：妊婦の気道は妊娠そのものよりも，分娩経過により大きく影響される。陣痛が発来すると，同じ妊婦でも気道が浮腫で膨張し，気管挿管の難易度が上がる（図1）[1]。無痛分娩では基本的に区域麻酔を選択するが，**急変時**（超緊急帝王切開術や蘇生）の気道確保にも関係があるため，この評価は必須である。一方，浮腫により穿刺部位の棘突起が触れにくく，硬膜外麻酔が難しくなることもある。

最終飲食：急変時に気道確保が難しい場合には，誤嚥性肺炎を起こすリスクとして把握しておく。

> **Memo**
>
> **飛び込み無痛**
> 外来時点では無痛分娩を希望しなかったが，実際の陣痛を経験した後で急に無痛分娩を希望する妊婦がある一定数いる。このように急に無痛分娩を希望することを，"飛び込み無痛"と呼び麻酔前評価やリスク管理ができないことがあり，危険とされている。

表1　麻酔前評価の内容①外来時

産科	妊娠分娩歴	前回の分娩経過，胎児の状態
	産科合併症	妊娠高血圧症候群 (HDP) など
麻酔科	患者背景	肥満，既往歴 (母体合併症)，アレルギー，サプリメントなど
	気道	開口障害，挿管困難の疑いなど
	穿刺部位	側弯症や手術痕，高度の肥満など
	血液検査	血小板数，凝固能検査など

表2　麻酔前評価の内容②麻酔開始直前

産科	分娩経過	分娩の進行状況，胎児の状態
麻酔科	浮腫	気道浮腫，穿刺部位の棘突起触知不能
	最終飲食	胃内容逆流による誤嚥性肺炎

図1　気道の評価
通常　　　　　　　　　分娩時
　　　　　　　　　（浮腫によりClass Ⅲ相当になる）

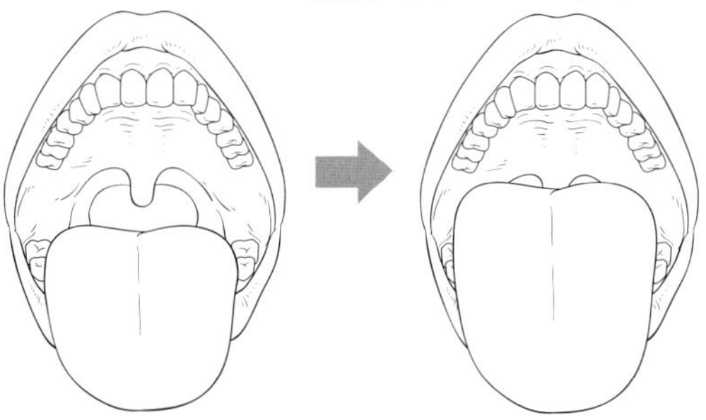

参考文献

1) Kodali BS, Chandrasekhar S, Bulich LN, et al: Airway changes during labor and delivery. Anesthesiology 2008; 108: 357-62.

Chapter 16

何を考えて鎮痛法（麻酔法）を決定するのか？

Point

- ☑ 無痛分娩の鎮痛法（麻酔法）は，初期鎮痛と維持の2つに分けて考えるとわかりやすい。
- ☑ 硬膜穿刺によって開けた"穴"は，その後の鎮痛効果にさまざまな影響を与えうるため，認識しておくべきである。
- ☑ 鎮痛法（麻酔法）は，分娩進行状況と母体・胎児の状態を把握するだけではなく，未来の安全対策も念頭に置いて決定しなければならない。

鎮痛法（麻酔法）の種類 (図1, 表1)

初期鎮痛は，硬膜外麻酔と脊髄くも膜下麻酔の2つが選択できる。硬膜外麻酔では，その初期鎮痛の達成に30分程度必要であることが多い。一方，脊髄くも膜下麻酔における初期鎮痛は10分以内に達成しうる。

また，維持に関しては，硬膜外カテーテルを使用することが大前提である。ここで認識しておかねばならないことに，硬膜に開けた"穴"の存在である。硬膜外麻酔では硬膜を穿刺しないため，この"穴"が存在しない。しかし，DPE technique や CSEA では，くも膜下腔への投薬の有無にかかわらず硬膜を穿刺するため，この"穴"が存在することになる。このことは，その後の維持や帝王切開への移行（コンバージョン）の際に影響を与えうる。

IV-PCA は医学的に区域麻酔が選択できない場合に限り，麻酔科専門医が専属で管理すべきである。レミフェンタニルによる IV-PCA では，53%で呼吸数が8回/分未満，68%で SpO_2 94%未満の低酸素，26%で20秒以上の呼吸停止を認めるため，厳格なモニタリングが行える環境が求められる[1]。夜間や休日に硬膜外麻酔ができないことを理由に選択することは，決して安全とはいえない。

Chapter 37, 40
⇨ p.74, 80参照

Chapter 38, 39
⇨ p.76〜参照

DPE ; dural puncture epidural

CSEA ; combined spinal epidural anesthesia

Chapter 64, 65
⇨ p.128〜参照

IV-PCA ; IV-patient controlled analgesia

決定に関して考慮すべき因子 (図1)

まず，現時点での分娩進行の状況だけでなく母体および胎児の状態の把握（麻酔前評価）が必要となる。例えば，児娩出までの残り時間によっては，鎮痛法（麻酔法）が限られることになる。また，胎児に何かしらの異常がある場合や，すでに胎児心拍異常が認められる場合には，胎児一過性徐脈を呈しやすいと考えられるため，脊髄くも膜下麻酔（CSEA含む）は避けるほうが望ましい。

次に，無痛分娩経過中の未来の安全対策として，使用中の硬膜外カテー

Chapter 15
⇨ p.30参照

Chapter 50
⇨ p.100参照

テルから麻酔薬を投与することによって超緊急帝王切開術の麻酔を提供し，妊婦の全身麻酔を極力回避したいという発想によるものがある。例えば，高度肥満，挿管困難，双胎妊娠などがそれにあたる。この場合，使用中の硬膜外カテーテルの信頼性を確認できていることが前提となる。したがって，CSEA導入時の脊髄くも膜下麻酔の麻酔効果が継続している間（約60分）はこれに該当しない。ただし，いったん硬膜外カテーテルの信頼性が獲得された後は，前述の硬膜に開けた"穴"により，帝王切開への移行（コンバージョン）の麻酔が達成しやすくなると考えられている。

Chapter 64
⇨p.128参照

> **Memo**
> **1次施設でのCSEA**
> CSEAは上述のように，硬膜外カテーテルの安全対策への利用が制限される時間帯があるのも事実である。さらに，その時間帯で選択すべきアクションのバリエーションが多いため，脊髄くも膜下麻酔と硬膜外麻酔の両方に習熟した術者およびスタッフによる管理が望ましい。つまり，無痛分娩のために業務を行っている麻酔科医が存在している状況での選択を推奨したい。

図1　鎮痛法（麻酔法）選択のアルゴリズム

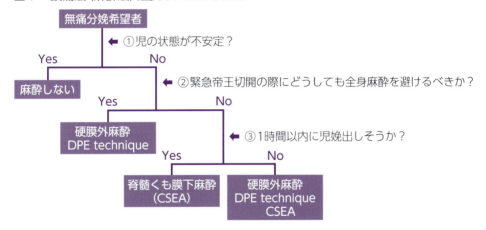

表1　硬膜外麻酔を選択する場合

	硬膜外	DPE	CSEA	Spinal
効果発現（分）	20〜25	15〜20	5〜10	5〜10
硬膜の穴	−	+	+	+
カテーテル	+	+	+	−
制約	早くない	デバイススキル	デバイススキル	単発

硬膜外：急激な鎮痛が好ましくない症例
DPE・CSEA：薬剤次第で違いが出る
デバイススキル：CSEA針を使える技術

参考文献
1) Stocki D, Matot I, Einav S, et al: A randomized controlled trial of the efficacy and respiratory effects of patient-controlled intravenous remifentanil analgesia and patient-controlled epidural analgesia in laboring women. Anesth Analg 2014; 118: 589-97.

Chapter 17 合併症妊娠（特にHDP）の無痛分娩で何に気を付けるのか？

Point

- ☑ 無痛分娩を必要とする精神疾患，循環器疾患，脳血管疾患では，専門家へのコンサルテーションが必要である。
- ☑ 妊娠高血圧症候群（HDP）合併妊婦の経腟分娩では，硬膜外麻酔による無痛分娩が推奨されている。
- ☑ 合併症妊娠の無痛分娩では，分娩第2期短縮の目的で器械分娩を積極的に選択することが多い。

医学的に無痛分娩が推奨される合併症には，**精神疾患，循環器疾患，脳血管疾患**がある。これらは**専門の診療科のコンサルテーションを受けながら周産期センターレベルでの管理が必要になるため，ここでは割愛する**（図1）。

一方で，産科特有の合併症に**妊娠高血圧症候群（HDP）**がある。本Chapterでは，日常診療でもよく遭遇するHDP妊婦と無痛分娩に関して解説する。

妊娠高血圧症候群（HDP）とは？

妊娠時に高血圧を発症した場合を**妊娠高血圧症候群**と言う。妊娠20週以降に初めて高血圧と蛋白尿を認める場合は**妊娠高血圧腎症（PE）**，この定義に当てはまらず高血圧のみ発症する場合は**妊娠高血圧（GH）**と分類される。妊娠前から高血圧を認める場合，もしくは妊娠20週までに高血圧を認める場合を**高血圧合併妊娠（CH）**と呼ばれている病態で，妊娠の終焉を余儀なくされる症例もある。

PE；preeclampsia
GH；gestational hypertension
CH；chronic hypertension

HDP合併妊婦の無痛分娩

HDP合併妊婦の経腟分娩では，疼痛や怒責により血圧上昇が危惧される。この血圧上昇のリスクを回避するために，米国産科婦人科学会（ACOG）では，HDP合併妊婦が経腟分娩を選択した場合には硬膜外麻酔による無痛分娩を併用することを推奨している[1]。この場合，HDP合併妊婦はHELLP症候群のように急激な血小板減少を伴うことがあるため，当日の血小板数，凝固機能検査などの確認が必要とされている[2]。血小板減少に気づかずに，硬膜外穿刺をすると，硬膜外血腫による対麻痺となる危険性があるため，注意が必要である。

麻酔法としては，CSEAではなく**硬膜外麻酔が望ましい**。それは，HDP合併妊婦では胎児が少なからずのダメージを受けている可能性が

Chapter 37
⇒ p.74参照

Chapter 43
⇒ p.86参照

Chapter 39
⇒ p.78参照

高く，急激な鎮痛による子宮筋の頻収縮や過収縮を避けたいという理由からである．母体の血圧上昇を回避するためには，しっかりとした鎮痛を提供することは必須である．疼痛スコア (NRS) の上昇に注意を払い，突発痛 (BTP) にも速やかに対応しなければならない．痛くなくても血圧が上昇すれば，帝王切開術の適応となってしまう場合もある．

Chapter 50 ⇨p.100参照

Chapter 53 ⇨p.106参照

産科医療行為としては，分娩第2期短縮の目的で，器械分娩を積極的に選択することも考慮される．

Chapter 60 ⇨p.120参照

図1　合併症妊娠に対する無痛分娩の考え方

| 精神疾患 |
| 循環器疾患 |
| 脳血管疾患 |
| HDP 重症 |

→ 周産期センター（無痛分娩を選択できないこともある）

| HDP 軽症 | 経腟分娩TRYが許容される場合のみ 無痛分娩の対象となる |

表1　通常とHDP合併妊婦への無痛分娩の違い

	通常	HDP合併妊婦
麻酔前評価	妊婦健診中の血小板数	無痛分娩当日の血小板数および凝固機能
鎮痛法（麻酔法）	硬膜外麻酔 DPE technique CSEA 脊髄くも膜下麻酔	硬膜外麻酔
対応体制	オンデマンドおよび計画分娩	計画分娩が多い（頸管拡張が必要）
無痛分娩管理のポイント	麻酔管理（NRSと麻酔範囲） 分娩進行（内診）	血圧コントロール 麻酔管理（NRSと麻酔範囲） 分娩進行（内診）
産科医療行為	通常適応	機械分娩（分娩第2期短縮目的）

● Column ●

医学的適応のみ対応？

「当院では医学的適応の無痛分娩のみ対応している．」と謳っている施設がある．これを見た妊婦およびその家族は，いざというときでも安心と考えてしまうだろう．しかし，日常診療で無痛分娩の管理に習熟していない医療従事者が，医学的に無痛分娩が必要なときだけうまく管理できるとは考えにくい．徹底的な疼痛コントロールにより分娩が進行せず，分娩停止で帝王切開術になるのは避けたいところである．

参考文献

1) American College of Obstetricians and Gynecologists: Task Force on Hypertension in Pregnancy. Obstet Gynecol 2013; 122: 1122-31.
2) 日本妊娠高血圧学会編：Ⅳ分娩周辺期の管理　CQ4 分娩時の麻酔管理は？ 妊娠高血圧症候群の診療指針2021．p.86，メジカルビュー社，東京，2021．

Chapter 18 穿刺の準備は？

Point

- ☑ 穿刺の準備として，穿刺する直前で確認すべきものと，事前にシステム化しておくべきものがある。
- ☑ 直前には，モニタリングと静脈路確保だけでなく，同意書へのサインなども確認する。
- ☑ 神経麻酔分野に特化した針とシリンジは，普通の針とシリンジとは規格が違うため，確実に用意する必要がある。

穿刺する直前に確認すべきもの

母体および胎児のモニタリング，静脈路確保，そして同意取得の有無を確認する。

事前にシステム化しておくべきもの

無痛分娩を始める前に準備するものは，麻酔の道具と薬剤であり，ほとんどの施設でキット化されている（図1）。実際に穿刺手技という清潔かつ侵襲的操作に入ったら，そこから何かを取り寄せるなどということは極力避けるべきである。そのための準備（院内物流を含む）は，属人化で対応するのではなくシステム化しておかなくてはならない。また，Chapter 7, 8で取り上げた**薬剤や機器**は，穿刺をする室内あるいはすぐ近くに配置しておくべきである。

使用する薬剤に関しては，特に麻薬はその使用目的が急を要すること（レスキューなど）が多いため，分娩室のあるフロアにある程度のストックがあることが望ましい。麻薬以外の薬剤は救急カートなどにまとめられている状態が一般的といえよう。**無痛分娩は局所麻酔薬を大量に使う医療であるため，局所麻酔薬中毒時に投与するイントラリポス輸液20%®も忘れてはならない。**

一方，使用する機器（器械と診療材料）も分娩室のあるフロアに十分なストックが必要である。特に，**神経麻酔分野の針とシリンジ（ISO-80369シリーズ）は，普通の針とシリンジとは別規格であるため，確実に用意できていなければならない。固定用のテープ類も"貼り損ね"**が頻繁に起こり，それだけでも診療の妨げになるため，疎かにしてはならない。

⇨ Memo参照

Chapter 8
⇨ p.16参照

Chapter 7, 47, 48
⇨ p.14, 94〜参照

Chapter 34
⇨ p.68参照

図1 硬膜外麻酔キットの例

a：ビー・ブラウンエースクラップ株式会社

b：スミスメディカル・ジャパン株式会社

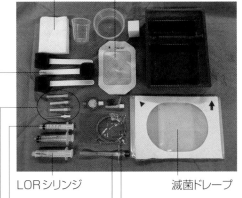
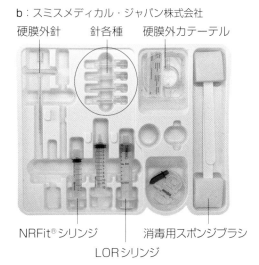

a: 滅菌ガーゼ／カテーテル固定用滅菌テープ／LORシリンジ／NRFit®シリンジ／針各種／消毒用スポンジブラシ／滅菌ドレープ／硬膜外カテーテル／硬膜外針

b: 硬膜外針／針各種／硬膜外カテーテル／NRFit®シリンジ／LORシリンジ／消毒用スポンジブラシ

Memo

薬剤部との連携（特に総合病院）

無痛分娩中は突発痛（BTP:breakthrough pain）へ速やかに対応しなければならないことがあり，その中にはフェンタニル®などの麻薬を必要とするケースがある。分娩室のあるフロアで速やかに麻薬を使用するためには，その場に麻薬があることが望ましい。そのためには，分娩室のあるフロアに麻薬を管理できる金庫を設置する必要があり，この点だけからも薬剤部との連携の重要性が認識できるだろう。

Memo

院内物流の重要性

無痛分娩の導入の際などに，使用する清潔器具が思わず何かに触れたり，落下したりして不潔になってしまうことがある。このとき，速やかに新しい器具が提供できるように，院内での物品の流れを構築しておくべきである。不潔操作は細菌性髄膜炎の原因となり，母体死亡報告もあるので[1]，手技には厳格な清潔操作が求められる。

参考文献

1) Centers for Diseases Control and Prevention: Bacterial Meningitis After Intrapartum Spinal Anesthesia - New York and Ohio, 2009-2009. Accessed at: https://www.cdc.gov/mmwr/preview/mmwrhtml/mm5903a1.htm Accessed on August 24, 2022.

Chapter 19 穿刺する際の体位は？

Point

- ☑ 硬膜外麻酔単独では，右側臥位と左側臥位のどちらでもよい。
- ☑ 高比重液を用いるCSEAでは，右側臥位が望ましい。
- ☑ 棘突起がわかりにくい場合は坐位を選択することもあるが，硬膜穿刺時の激しい髄液の流出や穿刺時の迷走神経反射に注意する。

側臥位での穿刺

無痛分娩に関していえば，硬膜外麻酔単独の場合は穿刺する際の体位は右側臥位と左側臥位のどちらでもよい。**しかし，脊髄くも膜下腔に高比重マーカインを投与する場合（CSEAあるいは脊髄くも膜下麻酔）は，右側臥位が望ましい**。これは，帝王切開術の麻酔導入の体位を右側臥位にすることに由来している。

ただし，手術麻酔における区域麻酔では，一般的に左側臥位で穿刺する場合が比較的に多い。それは，人口における右利きの割合が多いからと考えられる。

坐位での穿刺

最近では，肥満妊婦などを対象に坐位での穿刺が増えていると考えられる。BMIが30を超える場合や棘突起が触知しにくい場合では，**超音波によるプレスキャンの有用性**[1]が報告されている。そもそも**坐位では脊椎がねじれにくく，正中がわかりやすいメリットがある**。しかし，側臥位での穿刺に難渋したからといって，はじめて坐位で穿刺するときにうまくできるわけではない。それまでの修練は必要だろう。そして，**坐位で穿刺する際の注意点として，迷走神経反射と硬膜穿刺後に髄液の流出スピードが早くなることは認識しておく必要がある**。

Chapter 37
⇨ p.74参照

Chapter 39, 40
⇨ p.78〜参照

⇨ Column参照

Chapter 23
⇨ p.46参照

> **Memo**
>
> **迷走神経反射（VVR）**
> 精神的ストレス，過度の疼痛などにより，迷走神経が過剰な反応を示し，異常な身体的反応を示す場合がある。過度の心拍抑制により徐脈となったり，急激な血管拡張により血圧低下となったりすることがある。一時的な全脳虚血を呈するため，ふらつきを自覚し，失神に至ることもある。徐脈だけでは硫酸アトロピンが奏功するが，徐脈と低血圧を伴った場合にはエフェドリンが好ましい。

Chapter 7
⇨ p.14参照

図1　側臥位のとりかた

足底を頭側に垂直に押し上げるようにすると，腰椎間が開き棘間を穿刺しやすくなる。腰部の穿刺の場合は，首を必要以上に曲げなくてもよい。

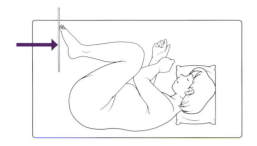
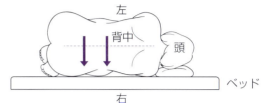

右下にして右側から効き始めるようにする

図2　坐位のとりかた

a：脱力姿勢
脱力姿勢をとると頭が真下に落ち，背中は理想的な彎曲となる。

b：前傾姿勢
患者の頭が前方に落ちてしまうと，頭部を支える力が働き，背中の彎曲部位が変わってしまう。

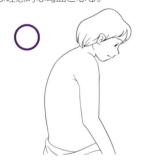

Column

帝王切開術の脊髄くも膜下麻酔（CSEA含む）を右側臥位で行う理由

帝王切開術の麻酔法で最も選択されているものは，脊髄くも膜下麻酔である。妊婦では脊髄くも膜下腔への薬剤投与後に妊娠子宮が下大静脈を圧迫し，静脈還流を妨げることで心拍出量を低下させ，低血圧を引き起こすことが多い。これを，仰臥位低血圧症候群という。この低血圧の予防の1つとして，麻酔直後に仰臥位に戻る際に速やかに手術台を左に傾ける（子宮左方移動）という方法がある。一方，帝王切開術の脊髄くも膜下麻酔で最も選択される薬剤は，高比重マーカイン®である。この場合の高比重とは，髄液よりも比重が高い（重い）という意味であり，重力に従って下に沈む性質があることを表している。これら一連の流れから逆算して，ベッドを左に傾けても，左側だけの麻酔が効いた状態（左片効き）にならないように，投与直後には右側から効きはじめ，その後左側に薬剤が流れていくように右側臥位を取るのである。

参考文献

1) Sadeghi A, Patel R, Carvalho JCA: Ultrasound-facilitated neuraxial anaesthesia in obstetrics. BJA Education 2021; 21: 369-75.

Chapter 20 知っておくべき解剖は？

Point

- ☑ 硬膜外腔とは，硬膜と黄色靱帯との間のスペースで，静脈叢や脂肪組織を含む疎な結合組織で構成されている。
- ☑ 脊髄くも膜下腔とは，硬膜の内側で脊髄と髄液で満たされたスペースで，頭側では脳に繋がっている。
- ☑ 脊髄神経は，頭側から頚神経（C1〜8），胸神経（T1〜12），腰神経（L1〜5），仙骨神経（S1〜5），尾骨神経の順で構成されている。

硬膜外腔と脊髄くも膜下腔

　脳や脊髄は，その緩衝材としての役割を担っている髄液とともに膜に囲まれて存在している。この膜は**外側の硬膜と内側のくも膜が接着した状態**になっている。この膜の外側と黄色靱帯との間のスペースが硬膜外腔と呼ばれている（図1）。一方，この膜の内側は脊髄くも膜下腔と呼ばれ（「硬膜内腔」とはいわない），そのためこの腔に投薬する麻酔の正式名称は「脊髄くも膜下麻酔」となっている。

　硬膜外腔は疎な結合組織で構成されたスペースである。硬膜外麻酔（あるいはCSEA）では，このスペースに硬膜外カテーテルを挿入し，そこから投薬を行うことで持続的な鎮痛を提供する。また，硬膜外腔には静脈叢や脂肪組織があり，肥満や妊娠によってそれらの容積が変化する[1]。

Chapter 37, 39
⇨ p.74, 78参照

脊髄神経

　脊髄神経は脊柱を構成する上下の椎骨の間にできる椎間孔を通って脊柱管を出てくるので，関連する椎骨に対応して名づけられている。頭側から頚神経（C1〜8），胸神経（T1〜12），腰神経（L1〜5），仙骨神経（S1〜5），尾骨神経の順で構成されている（図2）。したがって，頭側より尾側に向かって数字が大きくなる。陣痛などの痛み刺激は，末梢神経から左右の硬膜外腔で神経節を経由して，脊髄へ伝達される。この

Memo
硬膜の内と外では大きく違う
硬膜（くも膜）の内側の脊髄くも膜下腔は免疫がなく，不潔操作によって髄膜炎を起こしやすい。硬膜外腔に投与すべき薬液量を，誤って脊髄くも膜下腔に投与すると，投与量が多いため全脊髄くも膜下麻酔に至ることもある。逆に，この硬膜に穴をあけることで両方の腔を交通させる手技が，DPE techniqueということになる[2]。

Chapter 45, 46
⇨ p.90〜参照

Chapter 38
⇨ p.76参照

神経節の部分で作用するのが硬膜外麻酔である。
　これら脊髄神経が支配する皮膚感覚の領域を表したものがデルマトーム（図3，図4）で，痛み刺激などの皮膚感覚が消失した部位によって，どの脊髄神経が麻酔（ブロック）されているのかを知ることができる。

図1　硬膜外腔の解剖

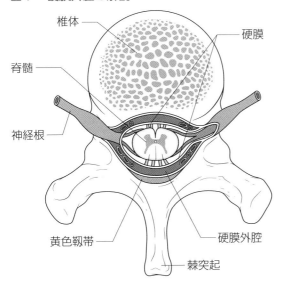

図2　脊椎の部位

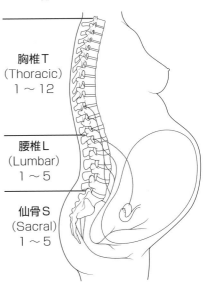

図3　神経支配

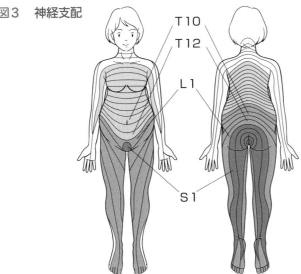

参考文献

1) Higuchi H, Takagi S, Onuki E, et al: Distribution of epidural saline upon injection and the epidural volume effect in pregnant women. Anesthesiology 2011; 114: 1155-61.
2) Heesen M, Rijs K, Rossaint R, et al. Dural puncture epidural versus conventional epidural block for labor analgesia: a systematic review of randomized controlled trials. Int J Obstet Anesth 2019; 40: 24-31.

Chapter 21

知っておくべき生理は？

Point

- ☑ 陣痛を伝える神経経路は，子宮口の開大度ではなく，児頭の骨盤への陥入前後で変化する。
- ☑ 児頭が骨盤に陥入するまでの痛みは内臓痛で，T10からL1までの脊髄神経が伝える。
- ☑ 児頭が骨盤に陥入した後の痛みは体性痛で，T10からL1までに加えて，S2からS4までの脊髄神経が伝える。

陣痛を伝える神経経路（図1）

陣痛を伝える神経経路とその痛みの種類は，分娩経過とともに変化する。これらの神経伝達経路は解剖学的な神経の走行からではなく，各種の神経ブロックを通して解明されたという経緯がある[1]。日本の教科書では，分娩第1期と分娩第2期に分けて説明しているものが多いが，実際には児頭の骨盤への陥入前後で変化すると考えられる。

⇒Memo参照

児頭陥入（図2）

● 児頭が骨盤に陥入するまで（Station：±0以前）

陣痛において児頭が骨盤に陥入するまでの痛みは，子宮収縮と頚管拡張に伴う内臓痛であり，C線維によって伝えられる。脊髄神経としては，T10からL1までの高さで脊髄へ入力される。

Chapter 20
⇒p.40参照

● 児頭が骨盤に陥入した後（Station：±0以降）

児頭が骨盤に陥入した後の痛みは，産道の拡張（児頭による骨盤への刺激）による体性痛であり，Aδ線維によって伝えられる。脊髄神経としては，S2からS4までの高さで脊髄に入力されるが，子宮収縮などの内臓痛が消失するわけではないため，T10からL1までの高さでの入力もそのまま持続する。

> **Memo**
>
> **子宮口全開大前後**
> よくよく考えると，子宮口全開大を機に陣痛の痛みを脊髄に伝える脊髄神経が変化することは納得しにくい。やはり，児頭の陥入（児頭の骨盤への刺激）を機に変化していると考えられる。筆者は，これをStation：±0と認識している。
> Bonicaの教科書でも，S2からS4の高さで脊髄に入力される状態は，「分娩第1期の後半および分娩第2期」と表現され，開大度だけでは説明できていない。

図1　陣痛を伝える神経経路　児頭嵌入までの痛みはT10〜L1の神経分節が伝え（a），児頭嵌入以降の痛みは主にS2〜S4の神経分節が伝える（b）。

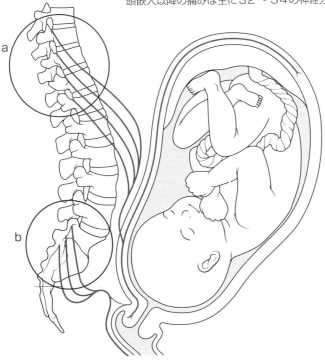

図2　De Leeのstation

第1平面（骨盤入口面）に平行な第3平面を基準線としている。
この第3平面に垂直な基線を仮定してstationの概念がつくられている。

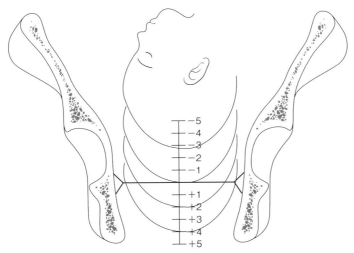

参考文献

1) Bonica JJ, McDonald JS: Principle and practice of obstetric analgesia and anesthesia, 2nd ed. Williams & Wilkins, 1995.

Chapter 22 穿刺部位はどうやって決定する？

Point

- ☑ 無痛分娩において硬膜外カテーテルの挿入部位は，L3-4が第一選択となる。
- ☑ 妊婦のヤコビー線は頭側にシフトしている場合が多く，L3の棘突起を通る。
- ☑ 超音波を用いて穿刺部位の同定を行う"プレスキャン"が現在普及しつつある。

なぜL3-4が第一選択なのか？

　無痛分娩において硬膜外カテーテルの挿入部位は，L3-4が第一選択となる。これは，**無痛分娩では硬膜外麻酔による神経ブロックを必要とする部位がT10-L1とS2-4と離れているため，そのほぼ真ん中の部位であるL3-4から頭側および尾側へ薬液を広げて鎮痛を得なければならない**からである（図1）。ただし，穿刺部位がカテーテルの先端位置決めづけるものではない（頭側に進むこともあれば尾側に進むこともある）ことも念頭に入れておく。また，挿入したカテーテルが正中に留まっていないことも少なくない[1]。

　例えば，L2-3からカテーテルを挿入した場合，1椎間頭側であるため，T10-L1の鎮痛は得やすいが，児頭陥入後に痛みを伝えるS2-4への麻酔薬の広がりが悪くなることが予想される。一方，L4-5からカテーテルを挿入した場合，頭側への麻酔薬の広がりが悪くなる[2]。そのため，緊急帝王切開術への移行（コンバージョン）の時に現行のカテーテルを用いた麻酔が難しくなることは認識しておく必要があろう。

> **Memo**
> **帝王切開術の脊髄くも膜下麻酔の穿刺部位との違い**
> 帝王切開術で最も選択される麻酔法である脊髄くも膜下麻酔は，髄液の中に麻酔薬が注入されれば一定の麻酔効果を発現する。そのため，穿刺部位はL2からL5の間の椎間であれば，どこから穿刺しても大きな違いはない。無痛分娩の穿刺部位の決め方とはまったく違う。

L3-4の同定法

● 児頭が骨盤に陥入するまで（Station：±0以前）

　次に，このL3-4という部位をどのように同定するのか？最も有名な指標として，"ヤコビー線"が広く用いられ，**非妊婦のヤコビー線はL4の棘突起を通る**と記述されている。ただし，**妊婦のヤコビー線は頭側に

シフトしている場合が多く[3]，L3の棘突起を通ることが多い（図2）。これは，妊娠により骨盤の角度が変化して，ヤコビー線という指標が頭側へせり上がる形になっているためと考えられている。そのため，ヤコビー線だけを指標にしてはならない。筆者は迷った際には，一歩下がって全体を俯瞰して，仙骨から順に追っていくなど，複数の指標で総合的に評価している。

図1 無痛分娩の支配神経とカテーテル挿入位置

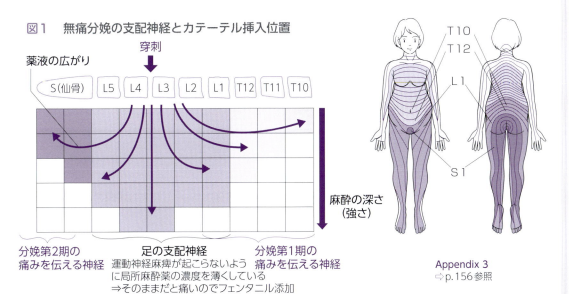

Appendix 3
⇨p.156参照

図2 妊娠によるヤコビー線の変化

非妊婦ののヤコビー線はL4の棘突起を通り，妊婦のそれはL3の棘突起を通るとされている。

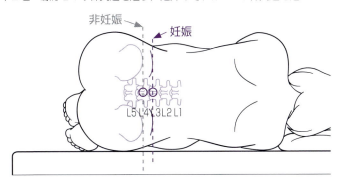

参考文献

1) Hogan Q: Epidural Catheter Tip Position and Distribution of Injectate Evaluated by Computed Tomography. Anesthesiology 1999; 90: 964-70.
2) Moore A, Villeneuve V, Bravim B, et al: The Labor Analgesia Requirements in Nulliparous Women Randomized to Epidural Catheter Placement in a High or Low Intervertebral Space. Anesth Analg 2017; 125: 1969-74.
3) Lee AJ, Ranasinghe JS, Chehade JM, et al: Ultrasound assessment of the vertebral level of the intercristal line in pregnancy. Anesth Analg 2011; 113: 559-64.

Chapter 23 エコーによるプレスキャンとは？

Point

- ☑ 超音波断層装置によるプレスキャンとエコーガイド下（リアルタイム）の違いを認識する。
- ☑ 脊髄幹麻酔では，プレスキャンが一般的である。
- ☑ 脊髄幹麻酔用の新しいデバイスは，皮膚から黄色靱帯までの距離を自動計測する。

プレスキャンの有用性（図1）

　近年，超音波断層装置（エコー）が局所麻酔領域へ応用されるようになり，その質と安全性は格段に向上したと考えられている。現在では**エコーガイド下末梢神経ブロック手技は標準的な医療になりつつある**。

　一方，そのエコーを脊髄幹麻酔（硬膜外麻酔や脊髄くも膜下麻酔）にも応用し，硬膜外腔までの距離や穿刺すべき角度を事前に測る方法（**プレスキャン**）も行われてきた。特に，北米においては，**肥満などの理由により棘突起を触知できず椎間を同定することができない症例**に対しては，エコーによるプレスキャンがルーチンとして用いられている[1]。このような点からも，わが国でもエコーによるプレスキャンが普及してくる可能性は高い。また，教育の観点からもその有用性は検討され，初学者の穿刺手技の直前に目標とする部位までの深さ（長さ）を計測し，針を深く刺入し過ぎることを予防し，偶発的硬膜穿刺UDPの減少効果が期待されている。

脊髄幹麻酔
区域麻酔（p.26参照）のなかでも脊髄周辺部の神経に麻酔するものを脊髄幹麻酔（neuraxial anesthesia）という。

Chapter 37, 40
⇨p.74, 80参照

UDP；unintentional dural puncture
Chapter 73
⇨p.146参照

図1　プレスキャン

a

b
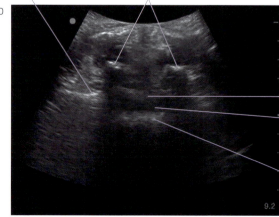

横突起　関節突起

硬膜
脊髄くも膜下腔
椎体

デバイスの紹介

現在，脊髄幹麻酔用に開発された超音波断層装置にビー・ブラウン社製のAccuro®（図2）というものがある。これは，椎体や棘突起の画像から，その解剖学的形態を作造し，硬膜外腔直前の黄色靱帯までの距離を算出する機械である。このデバイスでの計測は，通常の超音波診断装置と同じくらい正確な皮膚−硬膜外腔距離を測定できるが[2]，椎間レベルの同定はあまり正確ではない[3]。

図2　Accuro®

（ビー・ブラウンエースクラップ株式会社より提供）

● Column ●

エコーガイド下とプレスキャンの違い（表1）

局所麻酔の分野で普及している"エコーガイド下末梢神経ブロック"は，穿刺する部位と穿刺針の関係をリアルタイムに描出し，目的とする領域に針を進め投薬する方法である。まさに，エコーの画像をガイドに針を進めていくものである。一方で，プレスキャンは穿刺の直前に，穿刺の方向性や目的とする部位までの深さ（長さ）を計測し，それを念頭に置いて針を進める方法である。なお，無痛分娩で用いられる硬膜外穿刺をエコーガイド下に行うことは，穿刺・loss of resistance（Chapter 28）・エコーを当てる行為のすべてが清潔野での手技となるため現実的ではなく，後者のプレスキャンが一般的である。

表1　エコーガイド下とプレスキャンの違い

	プレスキャン	エコーガイド下
タイミング	穿刺前の確認 （皮膚消毒前に実施）	画像を確認しながら穿刺する （プローブを清潔野で操作）
よく応用されるもの	・硬膜外カテーテル挿入 ・脊髄くも膜下麻酔	・エコーガイド下末梢神経ブロック 　（腕神経叢ブロックなど多岐にわたる） ・羊水穿刺 ・中心静脈路確保 ・動脈ライン確保

参考文献

1) Sadeghi A, Patel R, Carvalho JCA: Ultrasound-facilitated neuraxial anaesthesia in obstetrics. BJA Educ 2021; 21: 369-75.
2) Carvalho B, Seligman KM, Weiniger CF: The comparative accuracy of a handheld and console ultrasound device for neuraxial deptha and landmark assessment. Int J Obstet Anesth 2019; 39: 68-73.
3) Caicedo J, Balki M, Arzola C, et al: Comparison between a novel 2D-3D ultrasound systema (Accuro®) and conventional two-dimensional ultrasound for assessment of the lumbar spine: a prospective cohort study in volunteers. Can J Anaesth 2021; 68: 1711-2.

Chapter 24 穿刺前の清潔操作は？

Point

- ☑ 無痛分娩の麻酔導入時には，術者だけでなく介助者もマスクと帽子を装着する。
- ☑ 消毒薬はポピドンヨードやアルコール類などさまざまな種類があるが，混入や誤投与を避けるためのキット化されたものが市販されている。
- ☑ ドレーピングにはビニール製の透明なものを使用する。

清潔野をつくる前に

無痛分娩の麻酔導入時には清潔野をつくるが，まずは**術者だけでなく介助者もマスクと帽子を装着しなければならない**。手術室と同等とまではいかないが，それ相応の清潔野を整える必要がある。以下に，消毒とドレーピングに分けて説明する。

消毒

消毒薬にはクロルヘキシジン，ポピドンヨード，アルコール類などさまざまな種類があるが，その施設で硬膜外麻酔用に用いているものでよい。ただし，**実際に使用する消毒薬の特徴を理解したうえで選択する**（表1）。即効性に優れたアルコールを含む消毒薬が有効で，英国ガイドラインではアルコール添加0.5％クロルヘキシジンが推奨されている[1]。また，近年キット化された消毒薬アプリケータも市販されている。これは，**消毒薬の混入や誤投与を防ぐことができる**という利点がある。消毒

Memo: ハイポアルコール®でのイソジン®の拭き取り

皮膚消毒に用いられるポピドンヨード（イソジン®）は、消毒後に拭き取らないと皮膚障害を引き起こす可能性があるため、ハイポアルコールで拭き取ることが多い。ハイポアルコール®は2％チオ硫酸ナトリウムと65％アルコールの混合液であり、強い神経毒性があるため、硬膜外腔や脊髄くも膜下腔へ投与すると、重篤な神経障害を引き起こす。しかし、このハイポアルコールは無色透明であるため、局所麻酔薬や生理食塩水と区別することが難しい。そのため、事前に準備すると完全な誤注入や少量の混入のリスクを避けることができない。
著者は、ハイポアルコールを使用する場合は、拭き取る行為の直前にラベルを確認しながら綿球やガーゼなどに注いでもらうようにしている。

範囲は穿刺部位を中心に広めに行うが，臀裂（お尻の割れ目）が見える程度に下着を下げておくとよい。

Chapter 29
⇨p.58参照

ドレーピング

ドレーピングを行わずに脊髄幹麻酔を行うことは，上述のガイドラインでは推奨されていない。ドレーピングを行う際には必ずビニール製の透明のものを用いる（図1）。非透明性の穴あきドレープは，全体が見えないことにより術者の3次元イメージの構築を障壁し，あらぬ方向へ針を進めてしまう可能性を誘発しかねないため，危険である。実際，非透明のドレープは硬膜外麻酔や脊髄くも膜下麻酔では用いられなくなってきている。また，**硬膜外カテーテルの固定のことを考えると一方向に破れるタイプのものが望ましい**。

Chapter 34
⇨p.68参照

> **Memo**
>
> **ガウンテクニック**
> 全例でガウンを用いる必要はない[2]。しかし，硬膜外麻酔に不慣れなトレーニング中の術者では，ドレーピングだけでなく，ガウンテクニックを用いて清潔なガウンを着ることが望ましい。

表1　各種消毒薬の特徴

一般名	ポビドンヨード	クロルヘキシジン溶液	オラネキシジン溶液
商品名	イソジン®	さまざまな名称	オラネジン®
殺菌力	○ 時間がかかる	○ アルコール混合液が推奨	○ 手術部位専用
消毒範囲のわかりやすさ	○	△	△
混入予防	色で確認	着色された製剤が推奨	アプリケータ

図1　透明ドレープ
腰部の全体像が見えるだけでなく，臀裂も確認できる。

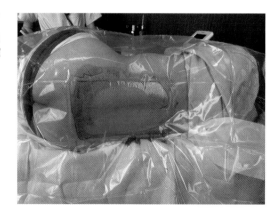

参考文献

1) Campbell JP, Plaat F, Chechetts MR, et al: Safety guideline: skin antisepsis for central neuraxial blockade. Anaesthesia 2014; 69: 1279-86.
2) Siddiqui NT, Davis S, McGeer A, et al: The Effect of Gowning on Labor Epidural Catheter Colonization Rate; A Randomized Controlled Trial. Reg Anesth Pain Med 2014; 39: 520-4.

Chapter 25 穿刺部位の確認と局所浸潤麻酔のコツは？

Point

- ☑ 局所浸潤麻酔を含めてさまざまな情報をもとに，立体的イメージをもって硬膜外針を進める方向を定める。
- ☑ 肥満などで椎間がわかりにくい場合は，親指で棘突起の先端を同定する"親指法"も有効である。
- ☑ 局所浸潤麻酔によって体位がずれることがあるため，硬膜外針の穿刺前にもう一度体位を確認する。

穿刺部位の同定

　穿刺部位の同定が何よりも重要である。最初にずれてしまうとその後の修正が難しくなる。**利き手の逆側の人差し指と中指でL3-4の椎間を押しながら，その頭側尾側および左右に局所麻酔薬を浸潤させる**（図1）。また，この局所麻酔薬の浸潤操作に伴う針先の抵抗などで，皮下および靱帯の立体的構造をイメージすることができる。このように，局所浸潤麻酔を含めてさまざまな情報をもとに，**立体的イメージをもって硬膜外針を進める方向を定める**のである。

　肥満などで椎間どころか棘突起がわかりにくい場合は，押す力の最も強い親指で腰部を押し，棘突起の先端を同定したら，その頭側に局所浸潤麻酔を行う。筆者は，この方法を"**親指法**"と呼び，指導している（図2）。この場合，正確に椎間を同定しているわけではないため，局所麻酔薬は広範囲に浸潤させておかねばならない。

局所浸潤麻酔

　硬膜外針が通過する部位で一番痛みを感じる部分は皮下組織である。そのため，皮下に局所麻酔薬を十分に浸潤させ，膨隆させるとよい。ただ，この膨隆により棘突起が触知しにくくなり，正中の同定が難しくなることもある。これに対して，筆者はこの膨隆をガーゼで押さえることで平坦にして，硬膜外針での穿刺に移ることにしている。

　また，実際の硬膜外カテーテル挿入手技全体においては，この局所浸潤麻酔が最も痛いことが多い。そのため，局所浸潤麻酔への反応により，**体位がずれてしまうことが起こる。穿刺前にはもう一度体位を確認する**ことを勧める。

図1　穿刺部位の同定

人差し指と中指で椎間の左右上下の正中を入念に探り，その奥の立体的イメージをしながら，穿刺部位を同定する。

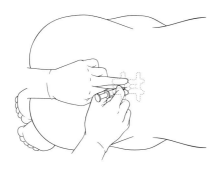

図2　親指法

親指でL4の棘突起を強く押し，その頭側に局所浸潤麻酔を行うと同時に，サウンディングして，骨でない領域を確認する。

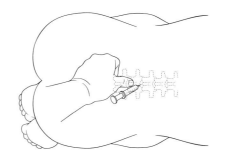

Memo

局所浸潤麻酔の穿刺角度・深さ

皮下に確実に麻酔を効かせるためには，局所浸潤麻酔の穿刺角度は皮膚に対して垂直であることが望ましい。水平に穿刺してから，垂直に方向転換する場合，どうしても皮下に局所麻酔薬が浸潤されない部分ができて，そこで痛みを訴えられるからである。深さについては，針の先端が靱帯を感じる深さまででよい。それ以上進めてしまうと脊髄くも膜下腔に達してしまう恐れがあるからである。

図3　局所浸潤麻酔の穿刺角度

最初に水平に穿刺してから，垂直に方向転換すると，一番痛い部分である皮下に局所麻酔が浸潤しない。

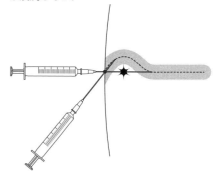

Memo

キシロカイン®か？カルボカイン®か？

一部の施設においてカルボカイン®を局所浸潤麻酔に選択する施設がある。局所浸潤麻酔の注入時痛について，1％カルボカイン®が他の局所浸潤麻酔よりも有意に少ない報告もあり[1]，おそらくこれに起因していることだろう。いずれにせよ，どちらにもプレフィルド製剤がある。消毒薬の硬膜外腔への誤投与は，恒久的な神経障害になるため，細心の注意を払うべきである。

参考文献

1) Prien T: Intradermal anaesthesia: comparison of several compounds. Acta Anaesthesiol Scand 1994; 38: 805-7.

Chapter 26　硬膜外針による穿刺の注意点は？

Point

- ☑ 硬膜外針のベベル（針孔の向き）は頭側を向けて穿刺する。
- ☑ 利き手でない方の指で椎間や棘突起を触れ立体的なイメージを描きながら，利き手に持った硬膜外針を局所浸潤麻酔の針孔から刺入していく。
- ☑ 棘間靱帯までは loss of resistance（LOR，抵抗消失）をせずに硬膜外針を進める。

硬膜外針による穿刺の流れ

　硬膜外針で穿刺する前にもう一度体位を整え，目標とする方向を再確認する。大きくずれていない限り，局所浸潤麻酔の針孔から穿刺する。明らかに鎮痛が得られていない部位からの穿刺は避ける。

　硬膜外針は利き手で持ち，利き手のほうの正面が穿刺部位になるように術者の身体の位置を調整する。具体的な硬膜外針の持ち方は術者によって違いはあるが，針を正確に押し進められ，いつでもストップできる持ち方であればよい（図1）。逆に，そうでない持ち方はすべて危険である。このとき，硬膜外針のベベル（針孔の向き）は頭側を向けて穿刺する。

　実際の穿刺においては，利き手でない方の指で椎間や棘突起を触れ立体的なイメージを描きながら，利き手に持った硬膜外針を進めていくことになる。この左手のガイドがないと，方向性を失いかねないため，両手で硬膜外針を持って穿刺することはあまり勧められない。

Column

見苦しい穿刺時の発言

硬膜外腔の同定に難渋すると，局所麻酔薬を浸潤させていない方向も硬膜外針で探り始める術者がいる。首をかしげながら，「大事なところだから動かないで，痛かったら口で教えて！」などと言いながら手技を続けているのを散見するが，痛いに決まっている。（筆者も術者として言ってしまった経験あり。）

"靱帯感"

　局所浸潤麻酔の針孔から硬膜外針を挿入し目標とする方向に進めると，針先が抵抗の大きな組織にぶつかる感触がある。ここで，さらに硬膜外針を1mmだけ進めてみる。このとき，**脊椎のどこかの部分の骨膜であれば，針はそれ以上進まない。しかし，棘間靱帯であれば，抵抗を**

持って針は進められる。筆者は，この抵抗感がありながら針が1mm進む感触を"靱帯感"と呼んでいる。

あくまでも目安だが，多くの日本人の妊婦では2〜4cmでこの靱帯感を感じることになる。また，このとき同時に硬膜外針は固定される。（グラグラしない）

その後は，目標とする方向に硬膜外針を2mmずつ進めながら，LOR法で硬膜外腔への到達を確かめるだけとなる。ただし，靱帯感がないからといって，ブラインドで針を深くまで進め過ぎることは危険である。

図1　硬膜外針の持ち方

親指と人差し指で翼の部分を挟むように固定する。親指で押す力を，人差し指でブレーキ力を生み出し，バランスをとる。中指あるいは薬指は針が一気に深く入りすぎないようにストッパーの役目となる。

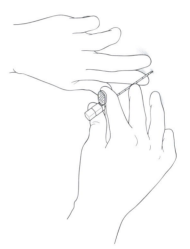

図2　硬膜外針のカット面と靱帯線維の走行

a：カット面を靱帯線維と水平に穿刺
靱帯の損傷は少なくなるが，抵抗がわかりにくく，さらに回転時の硬膜穿刺のリスクが上がる。

b：カット面を靱帯線維と垂直に穿刺
靱帯の損傷は大きくなるが，抵抗がわかりやすく安全である。

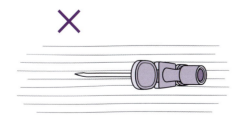
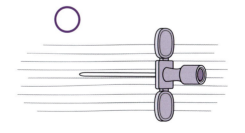

参考文献
1) Eldor J: Do Not Rotate the Epidural Needle. Anesth Analg 1994; 78: 606.

Chapter 27

CSEA針（DPE含む）による穿刺の注意点は？

Point

- ☑ CSEA針は，硬膜外針と脊麻針を合わせたもので，needle through needleが一般的である。
- ☑ 硬膜外腔の確認に用いるLORで生理食塩水を注入し過ぎないのがコツである。
- ☑ 脊麻針は利き手で把持し，一定のスピードで進めるとよい。

CSEAとは

CSEAはcombined spinal-epidural anesthesiaの頭文字からつくられた略語で，日本語では**脊髄くも膜下硬膜外併用麻酔（脊硬麻）**と表現する。つまり，脊髄くも膜下麻酔と硬膜外麻酔を合わせた麻酔法である。CSEAには1カ所穿刺法と2カ所穿刺法とがあり，**無痛分娩においては1カ所穿刺法を選択することがほとんどで，特殊な針を用いる**。その特殊な針がCSEA針と呼ばれるもので，**硬膜外針の中を，細い脊髄くも膜下麻酔用の針（以後，脊麻針）が通り抜ける構造**となっている。そのため，needle through needleと呼ばれる（図1）。これら大小2本の針を合わせて，CSEA針と呼んでいる。

硬膜外針による硬膜外腔への到達

硬膜外腔への到達は，CSEA針のうちの硬膜外針を用いて行う。詳細は *Chapter 26* に記したことと同じであるが，**CSEA針を用いる場合はLORを確認する際の生理食塩水を少な目（1mL程度）に注入するとよい**。これは，注入した生理食塩水により硬膜外腔が膨らむことによって，硬膜までの距離が遠くなり，脊麻針がくも膜下腔へ到達しにくくなるためである（図2a, b）。

Chapter 28
⇨ p.56参照

LOR；loss of resistance

Needle through needleの実際

硬膜外針の先端が硬膜外腔に到達したら，今度は利き手ではない方の手で硬膜外針の羽根と母体腰部を固定する。そして，利き手ではない方の手と脊麻針を保持した利き手が一部触れるようにしながら，一定のスピードで針を進める。このとき，薄い膜を貫くような感覚があった瞬間に利き手を止め，脊麻針を固定する。固定後に脊麻針の内筒を抜いて髄液を確認する。ここで，くも膜下腔に投薬せずに硬膜外カテーテルのみを挿入する場合を**DPE technique**という。

Chapter 38
⇨ p.76参照

Memo

Needle through needle のピットフォール

硬膜外針の中を脊髄くも膜下麻酔の針を進める際，放散痛などの神経症状を恐れ，針を進めるスピードが遅すぎる術者を散見する。実際に，針の先端が馬尾に触れた場合には，ゆっくり挿入しても放散痛を免れることはできないし，硬膜の"穿刺感"がわかりにくくなるだけである。そのため，椎体の後面に針先が当たるまで進めることになりかねない。筆者は乱暴でないレベルで，一定のスピードで針を進めることを推奨している。

図1 CSEA針

CSEA針は，needle through needle という構造になっていて，硬膜外針の中を27Gの脊麻針が進みくも膜下腔に達する。

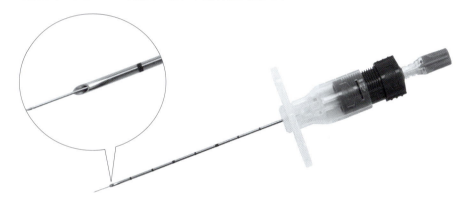

図2 硬膜外腔への生食注入量

aのように硬膜外腔へ生理食塩水を注入すると，くも膜は穿刺針から遠ざかると考えられる。結果として，bのようにCSEAが難しく場合がある。

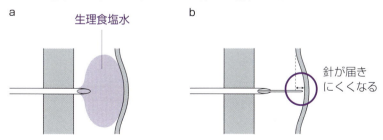

Chapter 28　loss of resistance（LOR, 抵抗消失）法の実際は？

Point

- ☑ 硬膜外針を把持した利き手は離さずに，利き手ではない方の手で硬膜外針の内筒を抜き，LORシリンジを装着する。
- ☑ 硬膜外針の方向を変えることなく，resistanceがなくなるまで2 mmずつ針を進める。
- ☑ LORでは，プラスチック製のシリンジに生理食塩水を充填して用いることが一般的になりつつある。

loss of resistance（LOR, 抵抗消失）用シリンジの装着

　硬膜外針の先端が棘間靱帯に達し，筆者のいう"靱帯感"を感じたら，利き手で保持した硬膜外針の内筒を利き手ではない方の手で抜き，その手でLOR用のシリンジを硬膜外針に装着する。このとき，利き手で保持している硬膜外針の方向が変わらないように注意する。

　シリンジを装着したら，一度利き手ではない方の手でシリンジを押して，抵抗（resistance）を感じておくとよい。いきなり硬膜外腔へ到達していることがありうるからである。

> **Memo**
> **硬膜外針を進めるストローク（長さ）**
> 硬膜外腔の幅（？）は5〜6 mm程度で，硬膜外針の針孔は2 mm未満である。つまり，2 mmずつ進めることは，進め過ぎて硬膜穿刺してしまうこともなく，針孔の一部しか硬膜外腔に出ずにカテーテル挿入時に引っかかってしまう状態にもなりにくい。

硬膜外腔への到達

　硬膜外針はresistanceを感じながら，両手で2 mmずつ丁寧に事前にイメージした方向に進める（図1）。このとき，利き手ではない方の手は"添えるだけ"である。そして，resistanceの消失をもって，硬膜外針の先端が硬膜外腔へ到達したことを確認する。
利き手は，この瞬間まで一度も握り直さないことになる。

LOR用のシリンジの種類とのその充填物

シリンジの種類

LOR用のシリンジには，ガラス製のものとプラスチック製のものがある。ガラス製のものはすべりがよく，愛用する術者も多いが，生理食塩水でロックしてしまうことがあるため注意を要する。そして，ガラスの重みを認識しないと，硬膜外針の先端が床に対して上方へ逸れてしまう可能性も念頭に置く必要がある。一方，プラスチック製のものは軽く，すべりも日々改善されシェアを伸ばしている。

充填されるもの

シリンジ内に充填されるものには，空気と生理食塩水があり，それぞれ**空気法，生食法**と呼ばれている。それぞれのリスクとして，**空気法では気脳症の可能性や"まだら効き"の頻度が高くなる**などが懸念される。**生食法ではガラス製のシリンジでのロックや硬膜穿刺がわかりにくい**などの懸念がある。なお，LORを確認するために生理食塩水を用いるか，空気を用いるかによって，臨床的な効果は変わらない[1]。

これらの組み合わせとして，最近は**プラスチック製のシリンジに生理食塩水を充填して用いることが一般的**になりつつある（表1）。

図1 LORの実際

硬膜外針の先端が黄色靭帯を通り抜け，硬膜外腔に達するとシリンジ内の生理食塩水（あるいは空気）が抵抗なく入る状態となる。

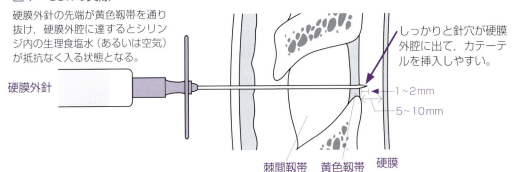

しっかりと針穴が硬膜外腔に出て，カテーテルを挿入しやすい。

1～2mm
5～10mm

棘間靭帯　黄色靭帯　硬膜

表1　シリンジの種類と充填されるもの

		シリンジの種類	
		ガラス製	プラスティック製
充填されるもの	空気	すべりが非常に良い 気脳症，まだら効き	すべりは良好 気脳症，まだら効き
	生理食塩水	ロックの可能性がある 全体的に重くなる	すべりは普通 合併症少なくスタンダードへ

参考文献

1) Brogly N, Guasch E, Alsina E, et al: Epidural Space Identification With Loss of Resistance Technique for Epidural Analgesia During Labr: A Randomized Controlled Study Using Air or Saline-New Arguments for an Old Controversy. Anesth Analg 2018; 126: 532-6.

Chapter 29 硬膜外腔へ到達できないときは？

Point

- ☑ 硬膜外針が硬膜外腔に到達できない場合は，針の刺入部位あるいは針を進める方向が間違っていることが多い。
- ☑ 硬膜外針が骨に当たり進まなくなる場合以外（血液や髄液の逆流あるいは神経症状の出現）は，その後の対応も含め考慮する必要がある。
- ☑ 硬膜外針の内筒を抜いてシリンジを付けたまま方向性を探る行為は危険である。

硬膜外腔に到達できないときは？（図1）

硬膜外針の方向性が正しく，針先が靱帯に到達している場合，あとは抵抗（resistance）が消失するまで針を2mm進めるだけである。しかし，何かしらの原因で硬膜外腔に到達できなくなることがある。**解剖学的異常や身体が捻じれているなどの理由がない限り，針の刺入部位あるいは針を進める方向が間違っている**ためである。したがって，その修正をどうやって行うかが重要となる。

Chapter 28
⇨ p.56参照

このとき，針が骨に当たり進まなくなる場合は穿刺をやり直すだけでよいが，血液や髄液の逆流が認められる場合や神経症状などが出現した場合には，その後の対応も含め考慮する必要がある。

Chapter 43
⇨ p.86参照

血液の逆流や神経症状が認められた場合には，針先が妊婦の左右外側に進んでいる可能性が高い。また，明らかな髄液の逆流が認められた場合（UDP）には，速やかに硬膜外針を引き抜く。髄液の流出量が多いと，頭蓋内出血に至る可能性がある。

Chapter 73, 74
⇨ p.146～参照

UDP；unintentional dural puncture

UDPとなった場合は，ひとつ上の椎間から再穿刺することが望ましいが，その後の**カテーテルのくも膜下迷入やDPEによる高位硬膜外**には十分注意しておく。**産後のPDPHの発症**にも留意しておく。

Chapter 45, 46
⇨ p.90～参照

● Column ●

"臀裂"のススメ（先人たちの知恵）

硬膜外穿刺は術者の3次元イメージだけで行われる手技である。針の穿刺部位が正中なのか，脊柱に対して左右上下で垂直に刺入されているのかは実際わからない。しかし，脊柱に対して左右が垂直であるかどうかには指標がある。それが，臀裂（お尻の割れ目）である。臀裂は背面に対して垂直になっているという先人たちの教えである（図1）。エビデンスがあるわけではないが，筆者は左右のズレが原因かどうか確認するときに今でも有用と考える。

シリンジをつけたまま靭帯を探らない！

　硬膜外腔に到達できないからといって，硬膜外針の内筒を抜いてシリンジを付けたまま方向性を探る行為は危険である。内筒を抜いた硬膜外針の先端に組織片が詰まれば，のちに行うLORがわからなくなり，硬膜穿刺のリスクとなりうる。さらに，硬膜外針に詰まった組織片をくも膜下腔や硬膜外腔に押し込むことになり，髄膜炎や硬膜外膿瘍にもつながる危険性がある。このとき，局所浸潤麻酔をしていない部分を探ることなど，もっての外である。

Chapter 43
⇨ p.86参照

図1　臀裂と背面の角度
穿刺の際，背面がベッドと垂直になるとは限らないため，背面と垂直になる"臀裂"は，針先の方向確認に有用である。

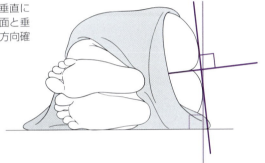

表1　硬膜外腔に到達できないときの原因

事象	原因	方針
骨に当たる	方向性の間違い	触診や臀裂の確認
神経症状	外側へのズレ	神経症状を反対側へ向かう
針から血液が出てくる	外側へのズレ	臀裂を確認し，左右どちらへのズレ化の判定
針から髄液が出てくる	深い	直ちに針を抜去し，再穿刺部位を検討⇒産後のPDPHに注意

Chapter 30 硬膜外カテーテルの挿入は？

Point

- ☑ 硬膜外カテーテルは勢いをつけずにゆっくりと約1cmずつ押し込んでいき，硬膜外腔に10cm以上挿入しない。
- ☑ 硬膜外カテーテル挿入時に妊婦が神経症状を訴えたら，その神経症状が一時的なものでない限り，カテーテル挿入を中止し丁寧に抜去する。
- ☑ カテーテル挿入時からカテーテル内を血液が逆流してくる場合は，血管内迷入の可能性がある。

硬膜外カテーテルの挿入

硬膜外カテーテルを挿入する際には，硬膜外針をしっかり固定し，勢いをつけずにゆっくりと約1cmずつつまみだすように押し込んでいく（図1）。事前に硬膜外針の長さを確認しておき，カテーテルを針と同じ長さだけ挿入した時点で針先から硬膜外腔へとカテーテルの先端が出ることを意識する。このとき，抵抗の有無には十分注意する（図2）。無痛分娩における硬膜外カテーテルの至適留置長は5cmであるため[1]，硬膜外腔に7cm程度出るまで挿入するとよい（図3）。

● Column ●

カテーテル挿入長の目安

硬膜外針は先端からカテーテル挿入部まで約10cmの長さがあるため，カテーテルを17cm程度挿入する。カテーテルが抜けてしまうリスクを考えて，この段階でカテーテルを2cm程度は余分に入れていることになるが，それ以上長く挿入することは**硬膜外腔の静脈叢の損傷**などの危険性があるため避けたほうがよい。

硬膜外カテーテル挿入時のトラブルシューティング

● 神経症状

硬膜外カテーテル挿入時に妊婦が神経症状を訴えたら，その神経症状が一時的なものでない限り，カテーテル挿入を中止し丁寧に抜去する。判断に迷った場合は，ためらわずに抜去することを選択する。このとき，神経症状は左右どちら側の症状なのか確認しておくと，再穿刺・再挿入の方向性の修正に役立つ。これは，硬膜外針の先端位置が外側に寄っているために起こる。

Chapter 43
⇨p.86参照

血液の逆流

カテーテル挿入時からカテーテル内を血液が逆流してくる場合は，血管内迷入の可能性もあるため，**硬膜外針を抜く前にカテーテル後端にコネクタを接続し，吸引テストを行うことも考慮する**。血管内迷入の場合は，シリンジまで血液の逆流してくることが多い。この場合も**判断に迷った場合は，ためらわずに抜去することを選択する**。

現在の硬膜外針の方向を，**殿裂を参考にして左右どちら側にズレているか確認する**とよい。

Chapter 47 ⇒ p.94参照
Chapter 32 ⇒ p.64参照
Chapter 29 ⇒ p.58参照

> **Memo**
> **患者のいう「しびれ」**
> 患者はさまざまな神経の症状を「しびれ」と表現する。それ自体には何の問題もないが，医療従事者が「しびれ」に関して診療録に記載する際には，運動神経麻痺なのか感覚神経麻痺なのかを調べ（Bromageスケールやコールドテスト），明確に記載すべきである。特に，産後の「しびれ」が運動神経麻痺である場合には，硬膜外血種などの合併症を鑑別しなければならないため，感覚神経麻痺と混同しないよう正しい記載が必要と考える。

図1　硬膜外カテーテル挿入
カテーテルを挿入するときは，抵抗がないことを確認しながら"つまみ出す"感じで1cm以内の長さずつゆっくりと挿入する。

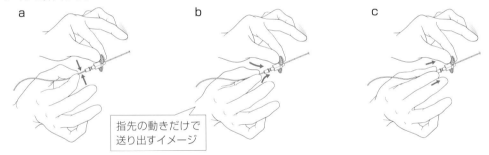

指先の動きだけで送り出すイメージ

図2　硬膜外カテーテル挿入時の抵抗
カテーテルの先端が硬膜外針の針先から出るときの抵抗の有無に注意する。

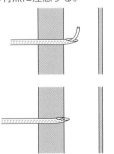

図3　カテーテル留置長（5cm）
硬膜外腔に5cm留置するため，硬膜外腔までの深さに5cm足した長さで皮膚固定する。

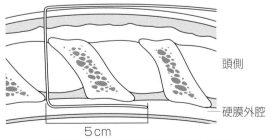

頭側
硬膜外腔
5cm
（一般的にはベベル面が頭側に向いた形で挿入するので，カテーテルも頭側に進むことが多い）

参考文献
1) Beilin Y, Bernstain HH, Zucker-Pinchoff B: The optimal distance that a multiorifice epidural catheter should be threaded into the epidural space. Anesth Analg 1995 ; 81 : 301-4.

Chapter 31 硬膜外針の抜去は？

Point

- ☑ 硬膜外針ベベルの内側のカット面によって，カテーテルが損傷する可能性がある。
- ☑ カテーテルを押し進めながら硬膜外針を抜去すると，内腔でカテーテルがたわみ，硬膜外針のベベルの内側のカット面と摩擦を起こす危険性がある。
- ☑ 何かしらのアクシデントでカテーテルが引っ張られて抜けることがあるため，カテーテル留置長の調整は迷入の確認操作直前まで行わない。

硬膜外針の特徴

硬膜外針はその針先のベベルの形状に特徴がある。挿入したカテーテルを残して，そのガイドとなっている針を抜去するという医療行為はいくつか存在するが，その他の手技よりも硬膜外針はカテーテルを傷つける可能性が高く，注意が必要である[1]。

硬膜外針はその先端が硬膜外腔に到達した後，そこから垂直に硬膜外カテーテルを挿入しなければならない。そのため，**硬膜外針のベベルの内側の"アゴ"のような特徴があるカット面にカテーテルが当たりやすい**（図1）。ここに大きな圧力がかかると，カテーテルが損傷する可能性があり，**カテーテルの切断およびそれに伴うカテーテル遺残のリスクがある**。なお，遺残してしまった場合には，専門科（整形外科/脳神経外科/脊椎外科等）に診療依頼を行うことが望ましい。

硬膜外針の抜去法

硬膜外針を抜去する際は，カテーテルを押し進めることなく，また同時にカテーテルが抜けてこないようにカテーテルを固定した状態で，硬膜外針だけを抜去する。特にカテーテルを押し進めると，内腔でカテーテルがたわみ，硬膜外針のベベルの内側部の鋭利なカット面と摩擦を起こす危険性がある。したがって，図2に示すように，カテーテルを"キープ"した状態を保持しながら操作することになる。つまり，**硬膜外針の先端が皮膚から抜けるまでは，1cmずつ抜いてくることになるだろう**。

吸引テストまで

硬膜外針を抜去した後，少し長めに挿入しておいたカテーテルを引き抜いて固定長（至適留置長は5cm）[2]を調整するが，この操作は吸引テストや試験投与の着前まで行わない。

カテーテルの最後尾にアダプタを付けたり，シリンジを取ったりする操作で刺入部から視線が離れ，何かしらのアクシデントでカテーテルが引っ張られて抜けることがある。そのため，**カテーテル留置長の調整は迷入の確認操作直前まで行わないことを勧める。**

　筆者は，吸引テスト用のシリンジを装着してから引き抜くこと推奨している。

図1　硬膜外針のベベルの特徴とカテーテル損傷のイメージ

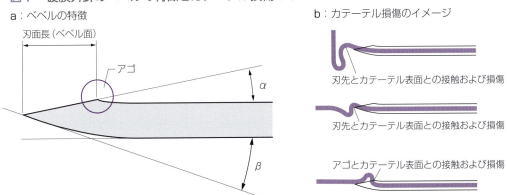

a：ベベルの特徴
b：カテーテル損傷のイメージ

図2　カテーテル留置（硬膜外針の抜去）

カテーテルを留置し，硬膜外針を抜去するときは，カテーテルは進めず硬膜外針のみを引き抜いてくる。

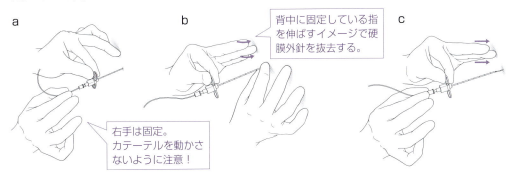

右手は固定。カテーテルを動かさないように注意！

背中に固定している指を伸ばすイメージで硬膜外針を抜去する。

参考文献
1) Collier C: Epidural catheter breakage; a possible mechanism. Int J Obstet Anesth 2000; 9: 87-93.
2) Beilin Y, Bernstain HH, Zucker-Pinchoff B: The optimal distance that a multiorifice epidural catheter should be threaded into the epidural space. Anesth Analg 1995; 81: 301-4.

Chapter 32 カテーテル迷入の予防と発見法は？①吸引テスト

Point

- ☑ カテーテル迷入の予防に努めることは必要であるが，100%予防できない。
- ☑ くも膜下迷入ではカテーテルから持続的に髄液が吸引される。
- ☑ 血管内迷入ではカテーテルから持続的に血液が吸引される。

（硬膜外腔へ挿入したと思っている）カテーテルの迷入には，くも膜下迷入と血管内迷入がある。くも膜下迷入は全脊髄くも膜下麻酔を引き起こし，血管内迷入は局所麻酔薬中毒を引き起こしうる。カテーテル迷入を早期に発見する際の特徴的な症状を表1に示す。通常の硬膜外無痛分娩とは明らかに違う状態である。

Chapter 45〜48
⇨ p.90〜参照

迷入の予防

カテーテルの迷入を起こさないためには，**カテーテルを勢いよく挿入しないことは大前提となる**。挿入時に抵抗があれば無理に挿入せず，もう一度 loss of resistance（LOR）を確認するなどの操作に立ち戻るとよいだろう。カテーテルが傷ついていない硬膜を破ることはほとんどない[1]が，硬膜の傷は臨床的に確認できないため，常に細心の注意を払う。

Chapter 28
⇨ p.56参照

また，血管内迷入（硬膜外腔の静脈叢）を予防する方法として，LOR法での生理食塩水の注入量を3〜10 mL以上にするとカテーテルが血管内に迷入しにくくなる[2]。

迷入の発見法としては吸引テストと試験投与があり，その両方が陰性ではじめて迷入が除外される。ただし，1度の吸引テストや試験投与だけでは診断できない。

吸引テスト

勢いよく吸引するなど吸引圧が高いと偽陰性となりやすいため，**低圧でゆっくり吸引するのがコツ**である。

くも膜下迷入はカテーテルから持続的に髄液が吸引できることによって診断できる。しかし，髄液は血液と異なり，LOR法で注入した生理食塩水や局所浸潤麻酔と色だけで鑑別することは難しい。そのため，テステープまたは血糖測定器を用いて引いてきた液体の糖をチェックするとわかりやすい。**生理食塩水や局所麻酔薬およびフェンタニル®には糖が含まれていないため，糖が検出されれば髄液と確定できる**（図1）。

一方，血管内迷入はカテーテルから持続的に血液が吸引できることによって診断できる。ただし，硬膜外腔の静脈叢を傷つけて，少量の血液

交じりの液体が吸引される場合もある．迷入を少しでも疑った場合には，カテーテルを再挿入することになる．ただし，カテーテル内の血液を生理食塩水でフラッシュしておかないとカテーテルの内腔が詰まってしまうことがあるので要注意である．新しいカテーテルに替えると安心である．

> **Memo**
>
> **吸引テストはカテーテル固定直前に行うべし**
> 吸引テストは硬膜外カテーテルの留置長を決定した後に行う．吸引テスト後にカテーテルの先端位置が変わっては意味がないからである．
>
> **くも膜下迷入の発見法のコツ**
> 吸引テストでくも膜下迷入がないことを確認する場合，そもそもシリンジ内の生理食塩水が増えたのかどうかもわかりにくい．このため，小さなシリンジを用い，その先端を上にして，ゆっくり陰圧をかけるとよい．くも膜下迷入時は，ゆっくりと液体が滴下し続ける（図1）．

表1　カテーテル迷入の鑑別

	合併症	初期症状	致死的病態
くも膜下迷入	全脊髄くも膜下麻酔	急激な鎮痛，下肢の運動麻痺	呼吸停止
血管内迷入	局所麻酔薬中毒	鎮痛作用なし	呼吸停止・心停止

図1　くも膜下迷入の確認法

シリンジを逆さにすることで，液体の持続的な滴下の有無を確認する（逆さにしなければ，液体が持続的に引けてくるかどうかはわからない）．さらに，テステープを用いて引けてきた液体の糖を調べると髄液の場合は陽性となる．

引けてきた液体はテステープで糖チェック

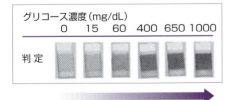

緑色に変化していく

参考文献

1) Angle PK, Kronberg JE, Thompson DE, et al: Epidural cather penetration of human dural tissue: in vitro investigation. Anesthesiology 2004; 100: 1491-6.
2) Gadalla F, Lee SHR, Choi KC, et al: Injecting saline through the epidural needle decreases the iv epidural catheter placement rate during combined spinal-epidural labour analgesia. Can J Anaesth 2003; 50: 382-5.

Chapter 33 カテーテル迷入の予防と発見法は？ ②試験投与

Point

- ☑ 妊婦に対する試験投与（テストドーズ）では，アドレナリン入りの局所麻酔薬は用いない。
- ☑ 試験投与により，くも膜下迷入の場合は急激な鎮痛や下肢の運動神経麻痺を呈することが多いが，血管内迷入の場合は症状が出現しないこともあるので注意する。
- ☑ カテーテル固定時の吸引テストや試験投与だけでは，カテーテルの迷入を発見できない事実を常に意識する。

試験投与（テストドーズ）

　日常臨床では，試験投与として，局所浸潤麻酔で用いた1％キシロカイン®などをカテーテルから3mL程度注入することが一般的である。教科書的に標準とされるテストドーズは，20万倍アドレナリン添加1.5％キシロカイン® 3mLだが，製剤調製の手間がある。手術麻酔では，アドレナリン入りの局所麻酔薬で試験投与し，"血圧上昇"や"頻脈"という症状で鑑別するが，妊婦ではこれらの症状自体が好ましくなく，感度・特異度が低いこともありアドレナリン入りの投与は避ける[1]。また，硬膜外腔へ投与されたアドレナリンはβ刺激作用により子宮収縮を抑制し，分娩進行の妨げとなるため，無痛分娩では好ましくない[2]。

　くも膜下迷入している場合には，低血圧や両下肢の感覚神経症状（温感など），運動神経麻痺を呈することが多いが，この注入量では全脊髄くも膜下麻酔には至らないと考えられる。また，陣痛発来中であれば急激な鎮痛が発現することがある。

　一方，血管内に迷入している場合は，この注入量では典型的な症状を発現しにくい。耳鳴りや味覚異常（金属味）などの症状は，くも膜下迷入の際の症状出現のタイミングより遅れる（図1）が，不整脈や痙攣まで至ることはほとんどない。

⇨Memo参照

Chapter 45
⇨p.90参照

Chapter 47
⇨p.94参照

無痛分娩におけるカテーテルの迷入

　上述のように，妊婦ではアドレナリン入りの局所麻酔薬は避ける傾向にあるため，血管内迷入の鑑別が難しい。また，1％キシロカイン® 3mLでは，急激な鎮痛や下肢の運動神経麻痺も出現しない可能性もある。したがって，無痛分娩における吸引テストと試験投与（テストドーズ）だけでは，カテーテルの迷入を確実に発見することはできない。

⇨Column参照

このような観点からも，毎回の硬膜外投与を試験投与と考えるスタンスを併せもつ必要がある。

> **Memo**
> **妊婦におけるアドレナリン入りの局所麻酔薬での試験投与**
> 本来，カテーテルのくも膜下あるいは血管内への迷入を発見するためには，アドレナリン入りの局所麻酔薬を用いて血圧や心拍数の上昇や下肢の運動神経麻痺により発見するものである。20万倍アドレナリン3mL（15μg）は非妊婦においては心拍数10bpm以上の増加かつ収縮血圧15mmHg以上の上昇があった場合，感度100%・特異度83〜100%であるが，妊婦では心拍数25bpm以上の増加があっても，感度50%・特異度71%と低く，信頼性に乏しい[2]。

● Column ●

試験投与（テストドーズ）直後に聞くべきこと

試験投与として1%キシロカイン®3mLを投与した直後に，
「足が温かくなってきたり，痺れたりしませんか？」
「陣痛が楽になったりしませんか？」
「鉄の味や耳鳴りはしませんか？」
と矢継ぎ早に妊婦に声掛けしているのをよくみかける。投与した1%キシロカイン®の薬理作用を考えると，投与直後はくも膜下迷入の症状（急激な鎮痛，低血圧と下肢の運動神経・感覚神経麻痺）程度であろう。このタイミングで血管内迷入の症状（味覚異常や耳鳴り）が出現するとは考えにくい。妊婦は側臥位（時に坐位）で緊張状態にあり，このような非日常な症状について尋ねられると，味覚異常や耳鳴りにとらわれて，くも膜下迷入の症状の出現に気づけないかもしれない。このような症状に関しては，時間軸とその症状の強さを明確にして，事前に説明しておくとよいだろう。

図1 カテーテルの迷入による症状出現のタイミング（*Chapter 37*, p.74参照）

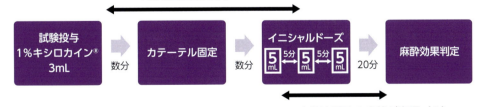

参考文献
1) Guay J: The epidural test dose: a review. Anesth Analg 2006; 102: 921-9.
2) Matadial L, Cibils LA: The effect of epidural anesthesia on uterine activity and blood pressure. Am J Obstet Gynecol 1976; 125: 846-54.

Chapter 34 | 硬膜外カテーテルの固定に関して知っておくべきことは？

Point

- ☑ 硬膜外カテーテルの固定は，吸引テストと試験投与の後で行う。
- ☑ 刺入部やカテーテルの目盛が見えなくならないように固定することが望ましい。
- ☑ 前屈などで硬膜外カテーテルが皮下で抜ける可能性があることを認識しておく。

Chapter 32, 33
⇨ p.64〜参照

硬膜外カテーテルの皮膚への固定

　硬膜外カテーテルは，そのカテーテルを留置する長さ（深さ）で吸引テストが陰性であることを確認し，試験投与（テストドーズ）を注入したのち，はじめて固定する。

　一般的な日本人女性では，皮膚から硬膜外腔までの距離は4〜5cmである。したがって，硬膜外腔へ5cm留置することを考え，9〜10cmのところで皮膚固定することになる。

　この固定には，ステリ・ストリップ®などの清潔固定テープを用いるとしっかり固定され，使用している施設も多い。このとき，硬膜外カテーテルには目盛りがついていて挿入長がわかりようになっているので，目印となる2重線（10cmマーク），3重線（15cmマーク）の所や刺入部にはテープを貼らないように気をつける。また，引っ張られてもすぐには抜けないように，ループ（遊び）を作っておくとよい。硬膜外カテーテル固定専用デバイスは従来のドレッシング剤よりも，固定性能が高いため[1]，考慮してもよいだろう。

　最終的には，硬膜外カテーテルは棘突起と肩甲骨をまたがないように肩口までテープ固定し，PCA装置を接続することになる。

硬膜外カテーテルが抜けるメカニズム

　どんなに硬膜外カテーテルをしっかり皮膚固定していても，皮下で抜けることがある。特に，**肥満妊婦**では皮下が深い（長い）ため，前屈時や身体をねじった際には硬膜外腔から抜けてしまう[2]。実際に硬膜外無痛分娩が始まると，患者はベッド上（LDRなど）で安静にしているため，大きく前屈するようなことはない。しかし，前もって前日に硬膜外カテーテルを挿入しておく場合，あるいは無痛分娩が翌日へ持ち越しとなった場合では，患者の行動制限が少なくなる。このため，例えば床のものを拾う動作でも硬膜外カテーテルが皮下レベルで抜けることにつながりか

ねない(図2)。

　このようなメカニズムでの抜去は，ベッド上安静状態である術後鎮痛では起こりにくいと考えられるため，無痛分娩特有のものとして認識しておくべきである。

図1　硬膜外カテーテルの固定

硬膜外カテーテルの刺入部と10cm, 15cmのマークの部分には，テープを貼らない。

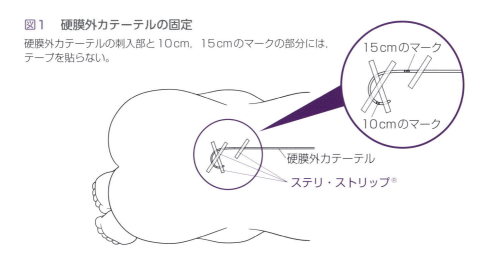

図2　カテーテルが抜けるメカニズム

通常の妊婦の場合，前屈などをするとカテーテルの皮膚固定位置はaからbへ移動し，皮下でカテーテルが抜けることになる。硬膜外腔までの深さが3cmの場合は45°皮膚がずれると約1.5cm皮下でカテーテルが抜ける。これが，肥満妊婦の場合には，cからdへ移動するため，約3cm皮下でカテーテルが抜ける。同じようにカテーテルを硬膜外腔に5cm留置した場合でも，肥満妊婦では抜けやすいことになる。

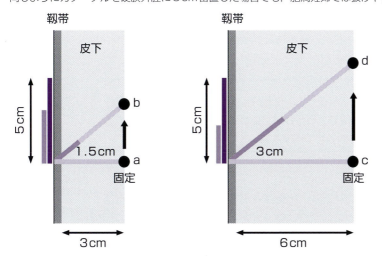

参考文献

1) Chow L, Wahba R, Hong A, et al: Epidural catheter migration during labor: a comparison between standard and Epi-Guard fixation: Int J Obstet Anesth 2011; 20: 366-7.
2) Arnold D, Scavone B: Neuraxial labor analgesia failure rates in women with a body mass index ≥ 50 kg/m2: a single-center retrospective study. Int J Obstet Anesth 2021; 48: 103176.

Chapter 35

無痛分娩記録には何を記載すべきか？

Point

- ☑ 無痛分娩は医療行為であるため，麻酔記録や手術記録と同様に記録する義務がある。
- ☑ 無痛分娩記録は患者情報の共有だけでなく，教育や研究にも使用できる。
- ☑ 一般的には，痛み，分娩進行，麻酔に関する情報を記載すべきである。

無痛分娩記録とは

無痛分娩記録とは，**無痛分娩の経過や医療行為を記載するもので，麻酔記録や手術記録と同じように診療録（カルテ）の一部であるため記録する義務がある**。その詳細は施設ごとで異なるが，医療従事者間で情報を共有するためには有用であり，安全性の面からも必須といえる。さらには，人材育成のための学習や臨床研究にも使用できる。**一方，分娩進行を表すものに，パルトグラムなどの分娩経過表があり，これらと重複せずに情報を管理する記録であることが望ましい**。なお，米国産科麻酔学会からは，少なくとも3～4時間ごとに診療録として記載することを推奨している[1]が，実臨床においては1時間に1回程度は妊婦を観察したほうがよいだろう。

無痛分娩記録に記載すべき情報

無痛分娩記録では，患者情報に左右があるため，縦軸を時間軸にして記載することが多い。聖隷浜松病院で用いられている無痛分娩記録（株式会社LA Solutions 2022年モデル）を**図1**に示す。記載すべき情報としては，①**痛みに関する情報**，②**分娩に関する情報**，③**麻酔に関する情報（穿刺に関する情報含む）**の3つが必要となる。

①痛みに関する情報

痛みは疼痛スコアで表し，NRSが用いられることが多い。これは，あくまで患者の主観である"痛み"を数値化したものである。**NRSは3未満で管理するとよい。**

Chapter 41
⇨p.82参照

②分娩に関する情報

無痛分娩が麻酔という医療介入を行う分娩である以上，分娩進行に関する情報は必須である。**内診所見，時間あたりの子宮収縮回数**，そして**子宮収縮薬の投与速度**などがある。また，**破水**に関する記載も重要になる。

③麻酔に関する情報

穿刺に関する情報は必須として，**麻酔範囲（コールドテスト）** や**突発痛（BTP）およびその対応**，さらに**麻酔薬の総投与量**などが記載されていなければ，情報を共有するためのツールとしては役に立たない。図1では，下部にあるようにBTPだけ別記載にしている。このようにBTPを放置できないような記録となり，患者のバースプランの達成とカテーテルの信頼性を常にチェックし続ける工夫が織り込まれている。

Chapter 41, 53
⇒p.82, 106参照

Chapter 5, 64
⇒p.10, 128参照

デジタル化の罠

現在，無痛分娩記録はベッドサイドでの記載の有用性から，いまだ紙ベースでの運用が一般的である。しかし，カルテのデジタル化の波は加速し，無痛分娩記録もデジタル化している施設もある。ただ，デジタル化の本質を見誤ると，紙にメモした無痛分娩情報を勤務終了直前に一気に入力するということになりかねない。これでは，患者情報の共有という点に関しては，まったく機能していないということになる。また，患者のバイタルなどの数値は自動入力できることが望ましい。

デジタル化によって，本来現場の効率は向上しなければならないだろう。

図1　無痛分娩記録

この無痛分娩記録では，単に経過のみを記録していくのではなく，「S（subjective）：主観的情報（NRS）」「O（objective）：客観的情報（分娩や麻酔範囲）」「A（assessment）：評価」「P（plan）：計画（レスキューや再穿刺）」の4つの項目に沿って，論理の流れで記載していく（SOAP）。

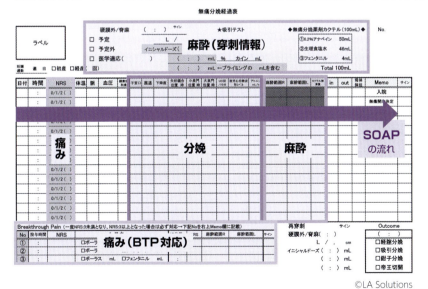

©LA Solutions

参考文献

1) SOAP Ad Hoc Committee Labor Epidural Documentation for Billing. Available at: https://www.soap.org/assets/docs/SOAP_Labor_Epidural_Documentation_For_Billing_Statement_APPROVED.pdf Accessed on August 29, 2022

Chapter 36 麻酔開始のタイミングは？

Point

- ☑ オンデマンド無痛分娩では，妊婦が鎮痛（麻酔）を希望したタイミングで麻酔導入することが推奨されている。
- ☑ 計画無痛分娩でも，陣痛発来後に妊婦が鎮痛（麻酔）を希望したタイミングが望ましいが，その判断は難しい。
- ☑ 妊婦が鎮痛（麻酔）を希望しても，潜伏期では麻酔の開始は慎重にすべきである。

オンデマンド無痛分娩（24時間体制）の麻酔開始（図1）

陣痛発来が自然に起こるのを待つオンデマンド無痛分娩では，基本的には**妊婦が鎮痛（麻酔）を希望したタイミングで麻酔開始する**ことが推奨されている[1]。子宮口が3〜5cm開大している場合が多いが，分娩進行は展退や児頭下降度など複合的なものであるため，開大度はあくまで目安に過ぎないということは留意しておく。そのため，アクティブフェーズに入ってから麻酔を開始する施設も多い。

ただし，妊婦が鎮痛（麻酔）を希望しても，**子宮収縮が不規則で，このままでは経腟分娩が見込めないような場合潜伏期には，その場しのぎの鎮痛（麻酔）は控える**ほうが望ましい。分娩全体を見通した方針決定が必要となる。

Chapter 64
⇨p.128参照

● Column ●

痛みを取ることがゴールではない

分娩進行としては少し早い段階にもかかわらず，陣痛に耐えきれない妊婦から鎮痛（麻酔）の希望がある場合，その分娩自体がそもそも難産であり，帝王切開になる可能性が高い。そのため，早期の麻酔開始が帝王切開になる頻度を上昇させることとの関連性は低いが，リスクの高い妊婦の痛みをとるためだけに麻酔を開始することは，慎重にすべきである。

計画無痛分娩の麻酔開始（図2）

計画無痛分娩だけでなく，**予定日超過や前期破水で分娩を誘発する場合も同様**だが，麻酔を開始するタイミングは**陣痛が発来した後に妊婦が鎮痛（麻酔）を希望したタイミング**が望ましい。ただし，オキシトシンなどの子宮収縮薬による子宮収縮では陣痛発来の診断が難しいため，子

Chapter 59
⇨p.118参照

宮頸管の熟化も含めた総合的な判断が必要となる。また，このような状況での麻酔開始に関する科学的根拠はなく，産科医と助産師でいわゆる"見極め"に関するノウハウを蓄積していくしかない。

図1　オンデマンド無痛分娩

オンデマンド無痛分娩では，陣痛発来時点である程度は頸管が熟化しているため，入院後に患者の希望したタイミングで麻酔を開始できる。

図2　計画無痛分娩

計画無痛分娩では，オンデマンド無痛分娩とは異なり，さまざまな医療介入すべき状態から頸管熟化を促していく必要がある。そのため，入院後は物理的な頸管拡張などの前処置を行う場合が多い。

> **Memo**
> **初期鎮痛とイニシャルドーズの使い分け**
> 本書では初期鎮痛は薬剤を投与し鎮痛を得る一連の行為を表し，イニシャルドーズは投薬それぞれを指す用語としている。例えば「イニシャルドーズの1回目で・・・」などという表現が用いられる。

参考文献

1) Sng BL, Leong WL, Zeng Y, et al: Early versus late initiation of epidural analgesia for labour. Cochrane Database Syst Rev 2014; 10: CD007238.
2) Woo JH, Kim JH, Lee GY, et al: The degree of labor pain at the time of epidural in nulliparous women influences the obstetric outcome. Korean J Anesthesiol 2015; 68: 249-53.

Chapter 37

硬膜外麻酔による無痛分娩の初期鎮痛は？

Point

- ☑ 硬膜外麻酔が望ましい症例かどうか確認する。
- ☑ 原則5分間隔で，無痛カクテルを5mLずつ3回投与（イニシャルドーズ）する。
- ☑ イニシャルドーズにおける初回の投与はカテーテルの迷入を再確認する役割を担っている。

硬膜外麻酔を選択する場合（表1）

　最も一般的な無痛分娩は硬膜外麻酔によるものである。さまざまな鎮痛法（麻酔法）のなかで，硬膜外麻酔が選択されるにはさまざまな理由（メリット）がある。

　超緊急帝王切開への移行（コンバージョン）の際に，**全身麻酔回避など安全性を考慮して硬膜外カテーテルを使用**することを無痛分娩の主な理由にしている場合には，硬膜外麻酔やDPE techniqueが望ましい。例としては，高度肥満，挿管困難，双胎妊娠などがそれにあたる。なぜなら，**硬膜外麻酔はカテーテルの信頼性が最も早く確認できる麻酔法**だからである。また，**急激な鎮痛が好ましくない症例**でも，硬膜外麻酔は選択される。

Chapter 64, 65
⇨p.128～参照

Chapter 38
⇨p.76参照

⇨Column参照

Column

胎児一過性徐脈

急激な鎮痛により子宮筋の頻収縮（あるいは過収縮）が起こり，胎児一過性徐脈を引き起こすことがある。麻酔導入前に胎児心拍異常が散見される症例や，胎児適応で分娩誘発となっている症例では，CSEAのほうが胎児一過性徐脈を引き起こす頻度が高いため[1]，硬膜外麻酔を選択するほうが好ましい。

Chapter 50
⇨p.100参照

CSEA；combined spinal-epidural anesthesia

Chapter 39
⇨p.78参照

硬膜外麻酔による初期鎮痛（図1）

　初期鎮痛を得るための投与（"イニシャルドーズ"と呼ぶ）として，無痛カクテル5mLを硬膜外カテーテルから投与する**毎回の投薬を試験投与（テストドーズ）のような気持ちで投与することが望ましい**。特に，**初回は母体バイタル（低血圧），下肢の温感や運動麻痺，その後ゆっくり現れる耳鳴りや味覚異常に注意**する。これは，妊婦における試験投与では，非妊婦と比べて信頼性が低いためである。

Chapter 33
⇨p.66参照

投与後5分間は患者を注意深く観察し，カテーテルのくも膜下迷入による高位（全）脊髄くも膜下麻酔や血管内迷入による局所麻酔薬中毒の早期発見に努める。

問題がなければ，無痛カクテルをさらに5mL追加投与する。同じように5分観察し，さらに5mLを追加投与する。合計15mL投与（ここまでの投与がイニシャルドーズ）したら，初回の5mL投与から30分後に初期鎮痛が得られたかどうかを含めた麻酔効果判定を行う。

Chapter 33
⇨p.66参照

Chapter 45～48
⇨p.90～参照

Chapter 41
⇨p.82参照

> **Memo**
>
> **無痛カクテル**
> 現在最も一般的と考えられているレシピ
> 0.1％アナペイン®あるいはポプスカイン®（フェンタニル2μg/mL添加）

表1　硬膜外麻酔による無痛分娩の特徴

特徴	詳細
効果発現時間	約30分かかる 経産婦の分娩間近では間に合わない可能性がある
胎児一過性徐脈	CSEAより頻度は低いが，徐脈の出現には注意する

図1　硬膜外麻酔のイニシャルドーズのフローチャート

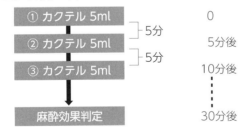

参考文献

1) Hattler J, Mlimek M, Rossaint R, et al: The Effect of Combined Spinal-Epidural Versus Epidural Analgesia in Laboring Women on Nonreassuring Fetal Heart Rate Tracings: Systematic Review and Meta-analysis. Anesth Analg 2016; 123: 955-64.
2) Guay J: The epidural test dose: a review. Anesth Analg 2006; 102: 921-9.

Chapter 38 | DPE techniqueによる無痛分娩の初期鎮痛は？

Point

- ☑ DPE techniqueとは，脊髄くも膜下麻酔針で硬膜穿刺は行うが脊髄くも膜下腔に薬剤を投与せず，硬膜外カテーテルを留置する手技である。
- ☑ 通常の硬膜外麻酔と比べて，麻酔がS領域へ広がりやすく，左右差（片効き）が少ないといわれている。
- ☑ CSEAや脊髄くも膜下麻酔と比較し，血圧低下，胎児一過性徐脈や掻痒感などが少ない。

DPE techniqueとは（図1）

DPE techniqueとは，CSEAの際に脊髄くも膜下麻酔用の針で硬膜穿刺（硬膜に穴を開ける）して髄液の逆流を確認するが，脊髄くも膜下腔に薬剤を投与せず，硬膜外カテーテルを留置する手技のことをいう。つまり，"硬膜に小さな穴を開けた硬膜外麻酔"ということになる。硬膜外麻酔単独よりも麻酔範囲がS領域へ広がりやすく，左右差（片効き）が少ない。これは，硬膜に開けた小さな穴から，硬膜外腔へ投与された薬液が脊髄くも膜下腔に少量入り込んで作用すると考察されている。

一方，脊髄くも膜下腔に薬剤を投与するCSEAや脊髄くも膜下麻酔と比較し，血圧低下，胎児一過性徐脈や掻痒感などの合併症（副作用）が少ないというメリットもある。これは，**投与薬剤すべてが直接脊髄に作用しないことによる**（表1）。また，**硬膜を穿刺する針の太さで作用発現に違いがあり，27G針ではその効果が限定的である。**

CSEA; combined spinal-epidural anesthesia
Chapter 38
⇨p.76参照

Chapter 40
⇨p.80参照
Chapter 50, 57
⇨p.100, 114参照

⇨Column参照

● Column ●
DPE technique が効果をもたらすための針のサイズ

無痛分娩におけるDPE techniqueの効果は，25Gの太さ以上の針を用いる必要がある。しかし，その内容を吟味すると，持続投与による無痛分娩であった。筆者は複数の施設での臨床経験から，27GでもDPE techniqueの効果を実感している。最近では，間欠ボーラス（PCEA + PIEBなど）で管理された無痛分娩での臨床研究でも25G針が用いられており[2]，今後の臨床研究に期待したい。

DPE techniqueを選択する場合

硬膜外麻酔とCSEAのそれぞれのデメリットを解消する，いいとこ取りをしたような麻酔法であるため，**ほとんどの症例で選択可能**と考えられる。ただし，CSEA針の準備とそれを使いこなすスキルが必要となる

Chapter 27
⇨p.54参照

(⇨Column 2参照)。DPE techniqueによる初期鎮痛は，硬膜外麻酔と同様である。ただし，その麻酔効果の発現は硬膜外麻酔と比較し，5〜10分程度早いと推測される。

Chapter 36
⇨p.72参照

●Column 2●

DPE techniqueが普及しにくい理由

DPE techniqueは，CSEA針を用いて無痛分娩を行う術者（施設）が，脊髄くも膜下腔に薬剤を投与しないという形で行われることが多いと考えられる。この場合，CSEA針の使用自体にある程度のスキルを要することになる。さらに，CSEA針では硬膜を穿刺する針のサイズは27Gとなり，効果的なサイズの"穴"が開かないということになる。したがって，効果的なDPE techniqueを行うためには，理論上別の太めの針を用意しなければならなくなり，普及の足かせとなっている。

図1　DPEの効果発現のメカニズム（推測）

a：脊髄くも膜下針（25〜27G）で硬膜を貫通し，脊髄くも膜下腔には投薬しない。

b：硬膜外カテーテルから投薬すると，硬膜に空いた小さな穴から薬剤の一部がくも膜下腔へ流入し，麻酔作用を発現させる。

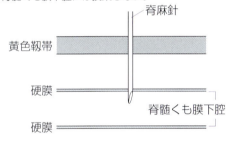
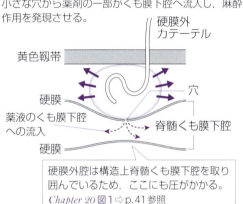

硬膜外腔は構造上脊髄くも膜下腔を取り囲んでいるため，ここにも圧がかかる。
Chapter 20 図1⇨p.41参照

表1　無痛分娩で用いられる4つの麻酔法の特徴

	硬膜外麻酔	DPE technique	CSEA	脊髄くも膜下麻酔
効果発現までの時間（分）	30分	25分	10分	10分
薬剤の広がり（左右）	△	○	◎	◎
薬剤の広がり（S領域）	△	○	◎	◎
副作用の少なさ	○	○	△	△
麻酔の継続性	○	○	乗り換えあり	×

参考文献

1) Heesen M, Rijs K, Rossaint R, et al: Dural puncture epidural versus conventional epidural block for labor analgesia: a systematic review of randomized controlled trials. Int J Obstet Anesth 2019; 40: 24-31.
2) Song Y, Du W, Zhou S, et al: Effect of Dural Puncture Epidural Technique Combined With Programmed Intermittent Epidural Bolus on Labor Analgesia Onset and Maintenance: A Randomized Controlled Trial. Anesth Analg 2021; 132: 971-8.

Chapter 39

CSEAによる無痛分娩の初期鎮痛は？

Point

- ☑ CSEAは，まず脊髄くも膜下腔に投与された薬剤により初期鎮痛を提供し，その後硬膜外カテーテルを用いてDPE techniqueと同様の状態に移行していく麻酔法である。
- ☑ CSEAでは，脊髄くも膜下麻酔で初期鎮痛が得られている間は，硬膜外カテーテルの信頼性が確認できない。
- ☑ くも膜下腔には，帝王切開の場合よりも低用量・低濃度の局所麻酔薬とオピオイドを投与する。

CSEAによる無痛分娩を選択する場合

　CSEAは，Combined Spinal-Epidural Anesthesia（脊髄くも膜下硬膜外併用麻酔）の略で，まず脊髄くも膜下腔に投与された薬剤により初期鎮痛を提供し，その後，硬膜外カテーテルを用いてDPE techniqueと同様の状態に移行していく麻酔法である（表1）。欧米を中心に無痛分娩でも普及してきている麻酔法であり，CSEA針（スミス・メディカル社製セキュア®など）を用いて行うことが多い。

　CSEAの特徴としては，硬膜外麻酔に比較して早期に鎮痛を提供できることがあげられる。ただし，緊急帝王切開の際に，全身麻酔回避などの安全性を考慮して硬膜外カテーテルを使用することを主な目的としている無痛分娩の場合は，硬膜外麻酔（あるいはDPE technique）が望ましい。これはCSEAでは，脊髄くも膜下麻酔で初期鎮痛が得られている間は，硬膜外カテーテルの信頼性が確認できず，麻酔の安全性が担保できないからである。また，CSEAは硬膜外麻酔より胎児一過性徐脈を引き起こす頻度が高いといわれている。

Chapter 38
⇨ p.76参照

Chapter 27
⇨ p.54参照

Chapter 37
⇨ p.74参照

Chapter 64
⇨ p.128参照

Chapter 50
⇨ p.100参照

CSEAによる初期鎮痛（図1）

　CSEAでは，初期鎮痛（"イニシャルドーズ"と呼ぶ）としての脊髄くも膜下麻酔により確実でスピーディーな鎮痛を獲得し，硬膜外カテーテルでその後の継続的な鎮痛を提供する。くも膜下腔には，帝王切開の場合よりも低用量・低濃度の局所麻酔薬とオピオイドを投与する。

Chapter 36
⇨ p.72参照

⇨ Memo参照

表1 CSEAによる無痛分娩の合併症・問題点

合併症・問題点	詳細
低血圧	帝王切開での麻酔と違うためマイルド
胎児一過性徐脈	子宮収縮⇐母体カテコラミン低下（緊急子宮弛緩で対応）
掻痒感	約半分の患者に起こるが約2時間で治る
PDPH	CSEA針の脊麻針は27Gと非常に細いため発生率は増加しない
カテーテルの信頼性を早期に得られない	信頼性を確認するのに時間がかかる ⇒緊急帝王切開術となりそうな症例は避ける

PDPH；post dural puncture headache 硬膜穿刺後頭痛

Chapter 73～76
⇨p.146～参照

Memo

CSEAでくも膜下投与する薬剤（例）

まず総投与量を2mLとする。CSEAでは硬膜外麻酔と比較し，くも膜下腔への投与量は低用量であることを認識させる意味でも重要となる。
0.5%高比重マーカイン®とフェンタニル®の組み合わせ方には，さまざまなバリエーションがある（図2）。ただし，分娩早期（陣痛がそれほど強くないと考えられる）に導入する場合は，フェンタニル®と生理食塩水のみを投与することもある。フェンタニル®のくも膜下投与による鎮痛には天井効果があり[1]，25μg（0.5mL）以上は臨床的に用いられることは少ない。

0.5%高比重マーカイン®	0～0.5mL
フェンタニル®	0～0.5mL
2剤の総量	～0.8mL
投与量	2.0mL

図1 CSEAにおける初期鎮痛の薬剤選択

CSEAでは脊髄くも膜下麻酔と違い，分娩早期では明らかな鎮痛を得る必要がない場合もあり，フェンタニルだけを選択することがある。一方，強い鎮痛が必要な場合では，0.5%マーカインとフェンタニルの両方を選択することもある。これらの組み合わせは施設によっても，分娩の状況によってもさまざまである。ただし，生理食塩水を含めた総投与量は，2.0mL程度に留めるべきである。

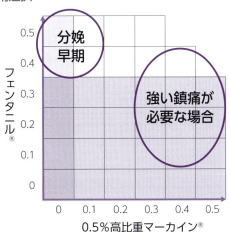

参考文献

1) Palmer CM, Cork RC, Hays R, et al: The Dose-Response Relation of Intrathecal Fentanyl for Labor Analgesia. Anesthesiology 1998; 88: 355-61.

Chapter 40

脊髄くも膜下麻酔による無痛分娩の初期鎮痛は？

Point

- ☑ 脊髄くも膜下麻酔では，投与した薬剤の作用時間に依存した鎮痛になるため，ほとんどは分娩直前に選択されることになる。
- ☑ "カテーテル"を使用しないため，致死的合併症である全脊髄くも膜下麻酔と局所麻酔薬中毒が起こりえない。
- ☑ CSEAと違い追加の薬剤投与ができないため，オピオイドのみの投与ではなく局所麻酔薬の投与が必要となる。

脊髄くも膜下麻酔を選択する場合（図1）

　脊髄くも膜下麻酔は，別名single shot spinal（SSS）とも呼ばれ，脊髄くも膜下腔に薬剤を投与するだけで，カテーテルを挿入せずに手技が終了する麻酔法である。**追加の投薬ができないことから投与した薬剤の作用時間に依存した鎮痛になるため，ほとんどは分娩直前に選択されることになる**。また，**何らかの理由により硬膜外カテーテルが挿入できない場合**にも選択される。

　脊髄くも膜下麻酔の特徴は，速やかで確実性の高い鎮痛が提供できるというメリットと**作用時間が制約される**というデメリットだけではない。迷入をしてしまうリスクをもった"カテーテル"を使用しないことによって，**致死的合併症である全脊髄くも膜下麻酔と局所麻酔薬中毒が起こりえない**というメリットもある。

Chapter 45〜48
⇨ p.90〜参照

脊髄くも膜下麻酔による鎮痛（図2）

　脊髄くも膜下麻酔の場合は，CSEAと違い，追加の薬剤投与ができないため，確実に鎮痛効果を発揮する薬剤を投与しなければならない。そのため，オピオイド単独の投薬は選択されない。**局所麻酔薬単独あるいは局所麻酔薬にオピオイドを添加したものが生理食塩水とともに脊髄くも膜下腔に投与される**。

　局所麻酔薬がくも膜下腔に投与されると**脊髄に作用**し，コールドテストで麻酔範囲が確認でき，くも膜下腔への投薬を確認できる。逆に，オピオイドのみだと鎮痛効果が弱いだけでなく，オピオイドのくも膜下腔への投薬が確認できず，麻酔効果がない場合の"やり直し"をすべきかどうか判断できない。

CSEA ; combined spinal-epidural anesthesia

Chapter 39
⇨ p.78参照

Chapter 41
⇨ p.82参照

● Column ●

脊髄くも膜下麻酔の難易度

帝王切開の麻酔として最も選択されている脊髄くも膜下麻酔は，一般的には難易度が高い手技とは考えられていない。もちろん，解剖学的な問題や肥満などで難易度が増す場合はある。

一方，無痛分娩においては，硬膜外カテーテルを使用した無痛分娩から脊髄くも膜下麻酔（CSEAも同様）に切り替えた場合，それまで硬膜外腔に投与した"無痛カクテル"が脊髄くも膜下腔を相対的に狭小化させ，くも膜下穿刺を難しくすると考えられている（図3）。硬膜外無痛分娩から帝王切開への移行（コンバージョン）の際にも同様に難易度上昇があると考えられるので，注意すべきである。

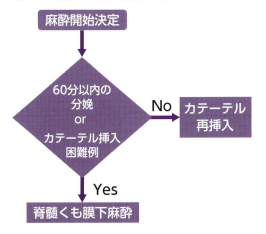

図1　脊髄くも膜下麻酔の選択

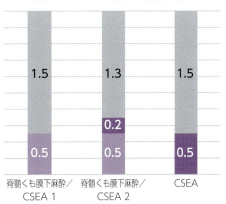

図2　くも膜下腔への薬剤投与例
SSSでは，オピオイド単独での投与は行わない。

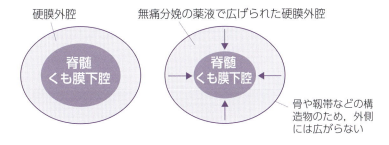

図3　無痛分娩中の硬膜外腔と脊髄くも膜下腔の関係

参考文献

1) Parikh KS, Seetharamaiah S: Approach to failed spinal anaesthesia for caesarean section. Indian J Anaesth 2018; 62: 691-7.

Chapter 41 麻酔効果判定では何をみる？

Point

- ☑ 麻酔効果とは，痛みの評価（鎮痛）と麻酔薬の広がりの評価（麻酔範囲）の両方を満たした場合にOKと判定される。
- ☑ 痛みは主観的なものであるため，NRSという数値化した指標を用い，3未満となっていることを確認する。
- ☑ 麻酔範囲は頭側だけでなく尾側も評価し，T10からS領域まで広がっていることを確認する。

麻酔効果とは

帝王切開などの手術麻酔では，手術侵襲という侵害刺激に対して確実な鎮痛を提供する薬剤が投与される。一方，無痛分娩では下肢の運動麻痺を回避するために，濃度の低い（鎮痛力が比較的弱い）薬剤を選択せざるをえない。そのため，**手術麻酔と違って麻酔範囲の評価だけでなく，鎮痛効果も別に評価する必要がある**。鎮痛と麻酔範囲の両方が条件を満たした場合のみ麻酔効果判定がOKとなり，はじめて**カテーテルの信頼性**（CSEAと脊髄くも膜下麻酔は除く）が獲得できる。

Chapter 38, 40, 64
⇨ p.76, 80, 128参照

CSEA；combined spinal-epidural anesthesia

痛みの評価（鎮痛）

痛みの評価は基本的に主観的な評価であり，これを客観的な数値として計測可能にしたものが疼痛スコアである（図1）。そのなかで最もよく使われているものが，NRSである。**NRSが3未満となっていることを確認する**。想像できる最悪の痛みを10，まったく痛くない状態を0とし，現在の痛みを口頭で数値化してもらう評価法である。ただし，これらの**評価はあくまで主観的**なものであるため，**医療従事者から見た現状と伝えられた数値のギャップが大きい場合は，妊婦とのコミュニケーションをもち，NRSを修正したほうが望ましい場合もある**。

麻酔薬の広がりの評価（麻酔範囲）（図2）

麻酔範囲の評価には，ピンプリックテストとコールドテストがある。無痛分娩では，帝王切開などの手術に比べ侵害刺激が弱いため，**コールドテストが選択されることが多い**。これは痛みを伝える神経線維の違いによる（表1）。実際のコールドテストでは麻酔範囲は左右を分けて評価する。**左右それぞれT10からS領域まで冷感が消失していることを確認する**。デルマトームを参考に確認するが，具体的にはT10は臍の高

Chapter 20
⇨ p.40参照

さであり，Sは太ももの裏である。特に，S領域への広がりは児頭陥入以降の管理には欠かせない。

⇨Column参照

> **Memo**
>
> **NRSの指標**
> 無痛分娩において，筆者はある基準を説明してからNRSを聴取している。
> 「NRS10は悶絶死するくらいの痛みなので最高を9，子宮収縮は感じるけど"痛み"と思わなければ0として刻んで数値化してください。ただ，**スマホの操作を妨げないような痛みは3未満ですよ**。」
> あくまで主観的なNRSに何とか客観性をもたせようとして考えた方法である。

● **Column** ●

麻酔範囲の尾側の評価
無痛分娩の麻酔範囲の評価は，頭側だけをみている場合が多い。しかし，**実際の無痛分娩では最初の鎮痛が良好で安心していた場合でも，児頭陥入以降に突破痛（BTP）をきたす妊婦もいる**。これは局所麻酔薬の尾側への広がりを評価していないことや，それに伴って**分娩経過中の体位に配慮する**などの対応策を講じていないことも原因であると考えられる。理想的には，S4まで確認するべきであろうが，会陰部であるため頻回の確認ははばかられる。ただし，内診時や導尿時の感覚を参考にすることもできる。

図1　NRS

> **Memo**
>
> **Bromageスケール**
> 麻酔効果判定ではNRSと麻酔範囲を確認するが，ときに運動神経麻痺を認める症例がある。このような場合には，Bromageスケールを用いて運動神経麻痺の程度を評価する。
>
> Appendix 3
> ⇨p.156参照

図2　無痛分娩で必要な麻酔レベル

無痛分娩では，上はT10から，下はS領域まで効いていることを確認する。

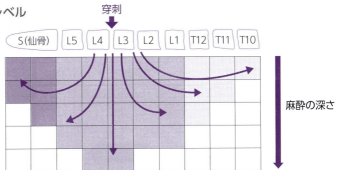

表1　分娩経過における陣痛の痛みを伝える神経線維

分娩経過	脊髄神経の分布	疼痛の原因	神経線維の種類	疼痛の種類	神経線維の太さ	侵害刺激
児頭陥入前	T10～L1	子宮収縮，頸管拡張	C線維	内臓痛	細い	中等度
児頭陥入以降	T10～L1 S2～4	子宮収縮，頸管拡張 児頭陥入	C線維 Aδ線維	内臓痛 体性痛	細い 太い	中等度 強い

Chapter 42

CSEAでのPCEAへの"乗り換え"はどうすべきか？

Point

- 無痛分娩では，初期鎮痛の方法に違いがあるだけで，その後の麻酔維持は患者自らがボタンを押して投薬を行うPCEAに移行して管理される．
- PCEAへの"乗り換え"は，硬膜外麻酔とCSEAではまったく異なる．
- CSEAによる無痛分娩では，うまくPCEAへの"乗り換え"を行うために，初期鎮痛効果が薄れるまでに硬膜外投与を開始し，ある程度の薬液量を投与しておく必要がある．

PCEAへの"乗り換え"とは

無痛分娩では，硬膜外麻酔（DPE techniqueを含む）であれ，CSEAであれ，初期鎮痛の方法に違いがあるだけで，その後の麻酔維持は**患者自らがボタンを押して投薬を行うPCEAに移行**して管理される．これを，PCEAへの"乗り換え"と表現する．このPCEAへの"乗り換え"は，硬膜外麻酔とCSEAではまったく異なる．**硬膜外麻酔では初期鎮痛の時点でカテーテルの信頼性を確認できているため，乗り換え自体は患者にボタンを贈呈するだけでよく**，スムーズに達成される．

Chapter 37～39
⇨ p.74～参照

Chapter 64
⇨ p.128参照

CSEAでのPCEAへの"乗り換え"の実際

CSEAによる無痛分娩では，脊髄くも膜下麻酔で初期鎮痛を得るため，カテーテルからは試験投与（テストドーズ）の分しか投与されていない．つまり，**硬膜外腔への薬液の投与は少なく，ほぼ"Dry"な状態**である（図1）．一方，硬膜外麻酔では硬膜外腔が薬液で満たされた状態であり，PCEAでの追加投与で麻酔効果が発現しやすい（図2）．このように，硬膜外麻酔と比較して**CSEAでは麻酔効果が薄れはじめたときに患者がPCAボタンを押して薬液が硬膜外腔へ投与されても，麻酔効果発現までに約30分の時間を要する**．しかも，硬膜外麻酔による無痛分娩では，初期鎮痛を得るために約15mLの無痛カクテルが必要とされるため，投薬量も足りないことになる．

実際，**CSEAによる無痛分娩では，うまくPCEAへの"乗り換え"を行うために，初期鎮痛効果が薄れるまでに硬膜外投与を開始し，ある程度の薬液量を投与しておく必要がある**．これは，痛いときにボタンを押すというPCAの概念に反するが，やむをえないと考える．いずれにせよ，いかなる場合も患者の注意深い観察が重要となる．

Chapter 33
⇨ p.66参照

Chapter 37
⇨ p.74参照

● Column ●

CSEAの罠

無痛分娩において，CSEAはそもそも分娩までの時間が短いために早急な鎮痛を期待して選択されることがある。しかし，くも膜下投与による初期鎮痛で効果を得られなかった場合に，確認不足なカテーテルを用いて何とか鎮痛を得ようと硬膜外腔に急いで投薬してしまう恐れがある。このようにCSEAではPCEAへの"乗り換え"が難しく，安全でない投薬になりかねないことを十分認識しておく必要がある。筆者は，CSEAはトラブルになる可能性がある前提で麻酔科医が管理すべきであると考える。

図1　硬膜外麻酔でのPCEAへの"乗り換え"

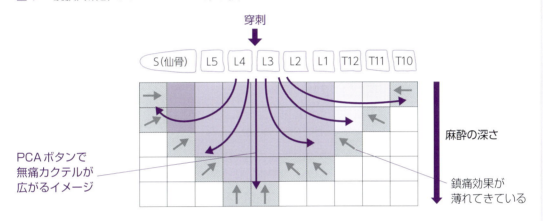

図3　CSEAでのPCEAへの"乗り換え"

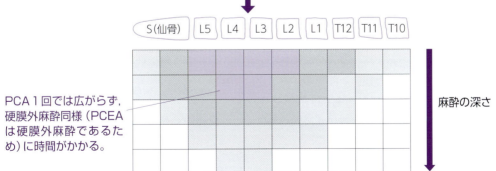

Chapter 43　麻酔導入時の合併症は？

Point

- ☑ 麻酔導入時の合併症は，麻酔自体によるものと麻酔が分娩に与える影響によるものの2つに分けられる。
- ☑ 麻酔導入時の麻酔自体による合併症は，穿刺によるもの，薬剤によるもの，カテーテル迷入によるものに分類される。
- ☑ 麻酔導入時には，麻酔は分娩の要素のなかでも特に"子宮収縮"に影響を与え，頻・過収縮により胎児一過性徐脈をきたすことがある。

　麻酔導入時の合併症として，麻酔自体によるものと麻酔が分娩に与える影響によるものの2つに分けられる。

麻酔自体によるもの（表1）

　麻酔導入時の麻酔自体による合併症は，穿刺によるもの，薬剤によるもの，カテーテル迷入によるものに分類される。

穿刺によるもの

　硬膜外針は静脈路確保で用いる針よりも太いことが多く，さらに身体の深部にブラインドで挿入していくため，何かしらの構造物を傷つけてしまうことがある。出血が止まりにくい状況下で硬膜外腔の静脈叢を傷つけてしまうと，**硬膜外血腫**をきたすことがある。また，穿刺針が硬膜を超えてくも膜下腔まで到達（硬膜穿破）してしまうと，産後の**硬膜穿刺後頭痛（PDPH）** をきたす可能性が高い。さらに，神経線維や神経根を傷つけると**神経損傷**となる。また，免疫低下時に穿刺針によって感染性微生物が運ばれると**硬膜外膿瘍**をきたすこともある。

Chapter 73〜76
⇨ p.146〜参照

薬剤によるもの

　まずいかなる薬剤でも，アレルゲンになれば**アナフィラキシーショック**のリスクがある。麻酔導入時に最も頻度の高い合併症は**母体低血圧**であるが，手術麻酔と違い治療を要することは少ない。

Chapter 49
⇨ p.98参照

カテーテル迷入によるもの

　カテーテルの迷入に気付かず投薬し続けると，**全脊髄くも膜下麻酔**や**局所麻酔薬中毒**をきたす。

Chapter 45〜48
⇨ p.90〜参照

麻酔が分娩に与える影響によるもの（表2）

　麻酔導入時には，麻酔は分娩の要素のなかでも特に"子宮収縮"に影響を与えている。麻酔導入直後は，子宮頻・過収縮が誘発され**胎児一過性徐脈**が起こりうる。もちろん，分娩が急激に進行することもある。逆

Chapter 50, 61
⇨ p.100, 122参照

に，導入からしばらく経つと，子宮収縮は弱くなり間隔も空くため**続発性微弱陣痛**となりやすい。

Chapter 59
⇨p.118参照

> **Memo**
> **麻酔が新生児に与える影響**
> 硬膜外腔に投与されたフェンタニル®などのオピオイドが新生児に影響を及ぼすことが心配されるが，実際に硬膜外腔に投与されたフェンタニル®（2μg/mL程度）が新生児に与える影響はほとんどない[1]。

表1　無痛分娩導入時の麻酔自体による合併症

分類	合併症	対応法	参照Chapter
穿刺	硬膜外血腫	MRI，整形外科（脊椎外科）コンサルティング	－
	PDPH	鎮痛薬，カフェイン内服，硬膜外自己血パッチ（EBP）	73〜76
	神経損傷	MRI，整形外科（脊椎外科）コンサルティング	－
	硬膜外膿瘍	MRI，整形外科（脊椎外科）コンサルティング	－
薬剤	アナフィラキシーショック	ボスミン®筋注	49
	母体低血圧	エフェドリン®あるいはネオシネジン®静注	－
カテーテル	全脊髄くも膜下麻酔	人工呼吸	45，46
	局所麻酔薬中毒	脂肪乳化製剤投与（lipid rescue），心肺蘇生	47，48

表2　麻酔が分娩に与える影響

分類	タイミング	合併症	対応法	参照Chapter
娩出力	麻酔導入時	胎児一過性徐脈	緊急子宮弛緩	50
	麻酔維持	続発性微弱陣痛	子宮収縮薬	59
	児娩出時	怒責力低下	器械分娩	60
	児娩出後	弛緩出血	子宮収縮薬，輸血	69
産道	麻酔導入時	分娩の急速な進行	分娩の準備	61
	麻酔維持	回旋異常	器械分娩あるいは帝王切開	62
	児娩出後	創部出血	速やかな創縫合	69

参考文献
1) Porter J, Bonello E, Reynolds F: Effect of epidural fentanyl on neonatal respiration. Anesthesiology 1998; 89: 79-85.

Chapter 44 致死的合併症とは？

Point

- ☑ 致死的合併症は，無痛分娩を行う限り起こりうるため，早期発見および対応力の獲得に日々努めておく必要がある。
- ☑ アナフィラキシーショックは，早期に診断できればボスミン®の投与のみによって症状が軽快することが多い。
- ☑ カテーテル迷入による致死的合併症は，その初期症状の発現においては相反する特徴を有する。

致死的合併症総論

　本書における無痛分娩における致死的合併症とは，麻酔によって引き起こされ，治療しなければ死に至るものを示す。基本的に麻酔自体による合併症で，薬剤によるアナフィラキシーショックとカテーテルの迷入による**全脊髄くも膜下麻酔**および**局所麻酔薬中毒**である。これら致死的合併症は，無痛分娩を行う限り起こりうるため，早期発見および対応力の獲得に日々努めておく必要がある。そのために，**J-CIMELS公認講習会**（J-MELS）でも硬膜外鎮痛急変対応コースが設立され，無痛分娩を行う医師への受講が勧められている（表1）。

真逆の鎮痛状態を呈する致死的合併症

　アナフィラキシーショックは，早期に診断できれば**ボスミン®**の投与のみによって症状が軽快していくことが多い。

Chapter 49
⇨p.98参照

　また，**カテーテル迷入**による致死的合併症の2つの病態は，カテーテルの迷入が原因となることと致死的であることの共通点をもつが，**鎮痛に関しては真逆であり，初期症状の発現時期が少しずれる**（図1）。

全脊髄くも膜下麻酔

　全脊髄くも膜下麻酔は**カテーテルのくも膜下迷入**によって起こるため，試験投与（テストドーズ）あるいは次の初期鎮痛（イニシャルドーズ）の最初の段階で初期症状が発現する。具体的には，**急激な鎮痛効果と下肢の感覚・運動神経麻痺**が出現し，1回目のイニシャルドーズの時点で気付けば呼吸停止に至らずに対応できる可能性がある。

Chapter 45, 46
⇨p.90〜参照

Chapter 33, 37
⇨p.66, 74参照

Appendix 3
⇨p156参照

局所麻酔薬中毒

　血管内迷入によって起こる即発型局所麻酔薬中毒は，試験投与（テストドーズ）や初期鎮痛（イニシャルドーズ）では初期症状を発現しない可能性もある。ただし，局所麻酔薬が神経線維に触れないため，麻酔作用

Chapter 47, 48
⇨p.94〜参照

Appendix 1
⇨p154参照

すら発現せず，ほとんど鎮痛作用を呈しない。つまり，"ずっと痛みの取れない状態"が続くことになる。それでも鎮痛効果を求め局所麻酔薬を追加投与することにより，局所麻酔薬の血中濃度が上昇し局所麻酔薬中毒に至る。

> **Memo**
>
> **カテーテルの血管内迷入とは関係ない局所麻酔薬中毒**
>
> 無痛分娩経過中に硬膜外腔への局所麻酔薬の大量投与を行うことで引き起こされる**遅発型局所麻酔薬中毒**は，麻酔導入時にカテーテルの血管内迷入で起こる即発型とは時間軸が異なる（⇨ Chapter 47, 48参照）。こちらは，局所麻酔薬が硬膜外腔の静脈叢から徐々に吸収されて起こるため，症状に気付き投薬を中止した後も血中濃度が上昇し続けるため，より重症化しやすい。また，妊婦ではα1アシドグリコプロテインが減少し，心拍出量が増加しており，さらに怒張した硬膜外腔静脈叢から局所麻酔薬が吸収されやすく，総じて局所麻酔薬中毒となりやすい[1]。

表1 致死的合併症の診断と治療およびトレーニング

合併症名	特徴	治療	トレーニング
アナフィラキシーショック	低血圧，頻脈，ネオシネジン®無効，顔面紅潮，喘鳴など	ボスミン®筋注	ACLSなど
全脊髄くも膜下麻酔	急激な鎮痛，下肢の感覚・運動神経麻痺	人工呼吸	J-MELSなど
局所麻酔薬中毒	鎮痛がほとんど得られない，多弁，興奮，味覚異常，耳鳴り	抗痙攣薬投与，心肺蘇生	

図1 カテーテルの迷入による症状出現のタイミング（Chapter 37, p.74参照）

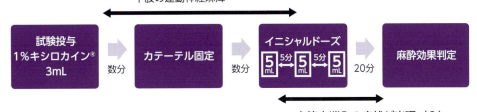

参考文献

1) El-Boghdadly K, Pawa A, Chin KJ: Local anesthetic systemic toxicity: current perspectives. Local Reg Anesth 2018; 11: 35-44.

Chapter 45

全脊髄くも膜下麻酔の原因と診断は？

Point

- ☑ 脊髄くも膜下腔に投与された局所麻酔薬が脳幹部にまで達した場合をいう。
- ☑ カテーテルのくも膜下迷入が原因であるが、それに気付かないことが引き金となる。
- ☑ 初発症状としては、急激な鎮痛と下肢の感覚および運動神経麻痺の出現である場合が多い。

全脊髄くも膜下麻酔の原因

　脊髄くも膜下腔に投与された局所麻酔薬が脳幹部にまで達した場合を、全脊髄くも膜下麻酔という。脊髄くも膜下麻酔では3mL未満の投与しか行わないため、全脊髄くも膜下麻酔に至ることは皆無である。
　しかし、無痛分娩において硬膜外麻酔を選択した際に、**カテーテルのくも膜下迷入が何かしらの理由により発見できなかった場合**、そのカテーテルから投薬してしまうことで全脊髄くも膜下麻酔が起こりうる（図1）。**無痛分娩では、カテーテルから硬膜外腔へ投与する薬剤の量が脊髄くも膜下麻酔より2倍近く多いため、その薬剤量が脊髄くも膜下腔へ投与されると薬剤が脳幹部まで達しやすい。**

Column

迷入に気付かないから起こるという認識

カテーテルの迷入（くも膜下および血管内）は、吸引テストと試験投与（テストドーズ）によって確認する。しかし、**これらの試験をクリアしたとしても、100％迷入していないとはいいがたいことがわかっている。**ただ、くも膜下迷入は血管内迷入に比べ、試験投与で症状を呈し発見しやすい[1]。それでも、くも膜下迷入を疑わない状態が確認されると、「硬膜外腔に挿入されていると思っているが、実際はくも膜下腔に迷入してしまったカテーテル」から大量の薬剤が投与されることになる。このような経過をたどり全脊髄くも膜下麻酔は起こるのである。誰もくも膜下迷入を疑っているカテーテルから大量投与はしないのである。

全脊髄くも膜下麻酔の診断

　初発症状としては、**急激な鎮痛と下肢の感覚および運動神経麻痺の出現**である場合が多い。硬膜外カテーテル挿入直後の試験投与では1％キシロカイン®を3mL程度投与することが多いが、これだけでは初発症

Appendix 3
⇒p156参照

状が出現しない場合がある。そのため，試験投与だけではなく，引き続き初期鎮痛を得るために投薬されるイニシャルドーズの1回目も試験投与のつもりで投与し観察する必要がある。

　初発症状に続いて，**徐脈**や**低血圧**などが出現し，これらの症状を見逃し対応しないまま投薬を続けると**呼吸停止，意識消失，対光反射消失**に至る。

　特に**徐脈や低血圧は，交感神経と副交感神経の両方が遮断されるため，高度の徐脈や低血圧というよりは"低目で安定"する**という特徴がある。しかし，局所麻酔薬の広がりの速度によっては，副交感神経が遮断される前に交感神経が遮断されるため，急激な低血圧が起こる可能性がないわけではない。

図1　カテーテルのくも膜下迷入
硬膜外腔に挿入したつもりのカテーテル（点線）から薬液を投与するとカテーテル先端の複数の穴からくも膜下腔内へ広がる（矢印）。

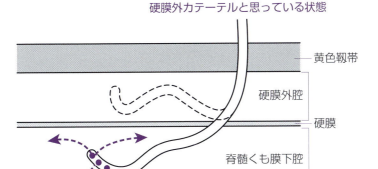

参考文献
1) Guay J: The Epidural Test Dose: A Review. Anesth Analg 2006; 102: 921-9.

Chapter 46 全脊髄くも膜下麻酔への対応と治療は？

Point

- ☑ 全脊髄くも膜下麻酔を疑った場合，速やかにカテーテルからの投薬を中止し，妊婦の呼吸状態を確認する．
- ☑ 呼吸が停止している場合，ただちに気道確保して人工呼吸を行い，人員を確保する．
- ☑ 全脊髄くも膜下麻酔では，徐脈と低血圧が"低めで安定"した状態となることが多いため，昇圧薬にはエフェドリン®が選択される．

全脊髄くも膜下麻酔への対応 (図1)

　初発症状が出現し，全脊髄くも膜下麻酔を疑った場合は，速やかにカテーテルからの投薬を中止し妊婦の呼吸状態を確認する．呼吸が保たれ，軽い運動神経麻痺が認められる程度であれば，**高位脊髄くも膜下麻酔**の状態で発見できたことになる．この場合は，1時間程度の経過観察の後，運動神経の回復と麻酔範囲の低下を確認し，カテーテル再挿入や脊髄くも膜下麻酔を選択して無痛分娩を再開することができる．

　しかし，呼吸が停止している場合には，ただちに**人工呼吸**を行い，**人員確保**を行う（⇨Memo参照）．人員が集まった段階で，**PCA装置を停止**する．これは，PIB機能がついている場合には，装置自体を停止しなければ設定した時間が経った時点で投薬されてしまう．

　次に，心拍出量を保つため両下肢を挙上あるいは頭低位とし**静脈還流**を確保する．特に妊婦においては，妊娠子宮による下大静脈の圧迫を回避するため**子宮左方移動**も行うと効果的である．

Appendix 3
⇨ p.156参照

PCA；patient controlled analgesia
PIB；programmed intermittent bolus

Chapter 52
⇨ p.104参照

Memo
一次施設での致死的合併症
総合病院などで蘇生や集中治療を専門にしている診療科がある場合とは違い，一次施設での致死的合併症は急性期を乗り切ってもその後の管理が難しい場合が多い．そのため，**緊急事態でははじめから救急車を呼び，救急救命士による気管挿管やその後の搬送を考慮した対応が重要である**．いったん回復したからといって，そのまま無痛分娩を再開するようなことは非常に**危険**だと筆者は考える．

全脊髄くも膜下麻酔の治療 (表1)

　実際，全脊髄くも膜下麻酔となった場合には，人工呼吸を行いながらその他の病態に対応していくことになる．Chapter 45でも述べたが，全

脊髄くも膜下麻酔における循環抑制は，心停止に至ることはまれで徐脈と低血圧が"低めで安定"した状態となることが多い。徐脈を伴う低血圧であるため，昇圧薬には**エフェドリン®**が選択される。**母体のバイタルが安定したら，引き続き胎児心拍数モニタリングを継続する**。全脊髄くも膜下麻酔だけでは急速遂娩の適応にはならない。

図1　全脊髄くも膜下麻酔への対応フローチャート

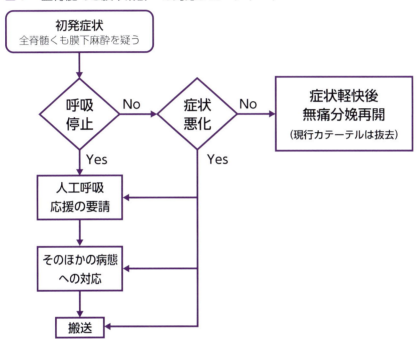

表1　全脊髄くも膜下麻酔への対応と治療一覧

症状	対処法
呼吸停止	ただちに人工呼吸（気管挿管に固執する必要はない）
徐脈	エフェドリン®が第一選択 （低血圧を伴うことが多いため，アトロピンより有用）
低血圧	エフェドリン®　下肢挙上・頭低位の併用 （徐脈を伴うことが多いため）
意識消失	呼吸・循環が安定していれば経過観察 （鎮静薬の投与は意識レベル判定に備え避ける）
胎児	胎児心拍数モニタリングを継続する （全脊髄くも膜下麻酔のみでは急速遂娩の適応はない）

参考文献

1) Sivanandan S, Surendran A: Management of total spinal block in obstetrics. Update in Anaesthesia. https://resources.wfsahq.org/wp-content/uploads/uia34-Management-of-total-spinal-block-in-obstetrics.pdf/ Accessed on October 6, 2022.

Chapter 47 局所麻酔薬中毒の原因と診断は？

Point

- ☑ 局所麻酔薬中毒は，Naチャネルブロッカーである局所麻酔薬が血中に入ることによって引き起こされる一連の症状である。
- ☑ 局所麻酔薬中毒の症状は，神経毒性によるものと心毒性によるものがある。
- ☑ 局所麻酔薬中毒の重症度は，局所麻酔薬の血中濃度と種類に依存する。

局所麻酔薬中毒の原因

硬膜外麻酔による無痛分娩では大量の局所麻酔薬を用いるため，常に局所麻酔薬中毒のリスクがある。

局所麻酔薬はNaチャネルブロッカーであるため，血中に入るとあらゆるNaチャネルをブロックし，神経伝達を抑制する。全身的に影響するため，脳や心臓の刺激電動系にも作用し，神経毒性や心毒性といった症状をきたす（表1）。局所麻酔薬が血中に入るなかで，最も速く重症化するものは**硬膜外カテーテルの血管内迷入**であるため，予防や早期発見に努めなければならない。

Appendix 3
⇨p.156参照

> **Memo**
> **カテーテル迷入の予防**
> カテーテルの迷入を予防するためには，①やわらかい先端のカテーテルを用いる[1]，②LORの生理食塩水を多めに注入する，③カテーテルの挿入を乱暴にしない，の3つが重要となる。
> それでも，迷入をなくすことはできないため，早期発見につなげるよう吸引テストと試験投与（テストドーズ）を行う。

局所麻酔薬中毒の診断

無痛分娩で用いる局所麻酔薬は低濃度であるため，1回3mL程度の試験投与では症状が弱く，硬膜外カテーテルの血管内迷入を診断できない。結果として，数回の投薬の後に遅れて症状が出現し，診断に至ることが多い。また，このとき**鎮痛効果がほとんど得られないことや麻酔範囲が認められないことも重要な診断のきっかけ**となる。この数回の投薬の段階で早期発見できれば，痙攣には至らない。**吸引テストや試験投与だけでは，血管内迷入は防ぎきれないことを認識しておく**[2]。

局所麻酔薬中毒の症状は，局所麻酔薬の血中濃度に依存して重症化するが，神経毒性が心毒性より先に出現する。耳鳴り，味覚異常（鉄の味），

Chapter 41
⇨p.82参照

Chapter 32, 33
⇨p.64〜参照

多弁などにはじまり，痙攣，意識消失，呼吸停止となる。さらには循環抑制，心停止へ続く。また，局所麻酔薬の違いによって，症状出現や重症化のスピードが変化する（図1）。

● Column ●

興奮系と抑制系

局所麻酔薬中毒の症状を見て，何かバラバラな印象を受けないだろうか？
神経系には興奮系と抑制系があり，車でいう「アクセル」と「ブレーキ」のようにバランスを取って機能していると考えられる。このとき，運動神経と感覚神経のように興奮系の神経線維のほうが太い。そのため，比較的細い神経線維である抑制系が先にブロックされ，"抑制系（ブレーキ）が機能していない"症状を呈する。その後，興奮系（アクセル）もブロックされ，まったく機能しない状態（意識消失）となる。こう考えると，局所麻酔薬中毒のバラバラな症状を理解できるのではないだろうか。

表1　神経毒性と心毒性

	抑制系のブロックのみ ➡	抑制系・興奮系両方のブロック
神経毒性	・興奮状態，多弁 ・味覚異常（鉄の味），耳鳴り ・痙攣	・意識消失 ・呼吸停止
心毒性	・不整脈 ・低血圧（ポンプ機能低下）	・心停止

図1　局所麻酔薬による症状出現の違い

無痛分娩でよく用いられているアナペイン®，ポプスカイン®は，キシロカイン®カルボカイン®と比べると，血中濃度の上昇に伴い症状の重症化が二次関数のような変化を示す。

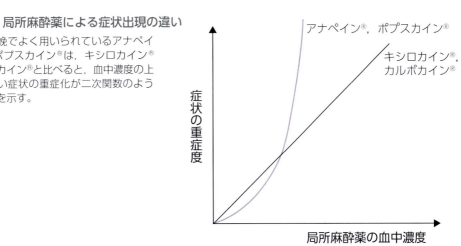

参考文献

1) Jaime F, Mandell GL, Vallejo MC, et al: Uniport soft-tip, open-ended catheters versus multiport firm-tipped close-ended catheters for epidural labor analgesia: a quality assurance study. J Clin Anesth 2000; 12: 89-93.
2) Bell DN, Leslie K: Detection of intravascular epidural catheter placement: A review. Anaesth Intensive Care 2007; 35: 335-41.

Chapter 48

局所麻酔薬中毒への対応と治療は？

Point

- ☑ 局所麻酔薬中毒を疑った場合，速やかに局所麻酔薬の投与を中止し，心電図を装着する。
- ☑ 抗痙攣薬の投与法を熟知し，呼吸補助に留意する。
- ☑ Lipid rescueのために，分娩フロアにイントラリポス輸液20%®（脂肪乳剤）を備えておく。

局所麻酔薬中毒への初期対応

局所麻酔薬中毒を疑った場合，**速やかに局所麻酔薬の投与を中止し，心電図**を装着する。無痛分娩では静脈路確保と母体モニタリングは行われているが，心電図は装着されていないことが多い。局所麻酔薬中毒の**心毒性の初発症状である不整脈**を見逃さないためにも，必ず心電図を追加で装着する。同時に，**応援の要請と救急カート（救急薬剤および物品）を取り寄せ，心肺蘇生に対応できる状態**にする。

Chapter 8
⇨p.16参照

局所麻酔薬中毒の治療

症状が軽症の場合には，酸素投与と対症療法を行い慎重に経過を観察する。

症状が痙攣のような重度のものを伴う場合，ただちに抗痙攣薬の投与や気道確保（必要があれば呼吸の補助）を行う。日本麻酔科学会のプラクティカルガイド（2017）では，抗痙攣薬としてベンゾジアゼピン系の薬剤を推奨している。産科領域では，子癇発作へ対応するためにセルシン®が準備されている場合が多い。一方，ドルミカム®（ベンゾジアゼピン系で麻酔科医がよく用いる），ラボナール®，ディプリバン®も使用可能である（表1）。これらは鎮静薬であり呼吸抑制があるため，**投与後に呼吸補助（人工呼吸）が必要になる**ことに留意する。また，**局所麻酔薬中毒においては，心室性不整脈に対するキシロカイン®は同じNaチャネルブロッカー（局所麻酔薬）であるため禁忌**である。

Appendix 3
⇨p156参照

心肺停止に至った場合には，直ちに心肺蘇生を開始する。このとき妊娠子宮による下大静脈の圧迫を回避するため，**子宮左方移動**を行う。それでも蘇生に反応しない場合は，死戦期帝王切開を考慮する。

> **Memo**
>
> ### Lipid rescue
> 不整脈や重度の低血圧を伴った局所麻酔薬中毒に対して,イントラリポス輸液20%®(20%脂肪乳剤)を使ったlipid rescueが認められていた.しかし,最近のシミュレーションコースなどでは,初発症状が認められた時点で投与を開始してもよいと指導されている.実際は,イントラリポス輸液20%®を1.5 mL/kg(約100 mL)を静脈内投与し,0.25 mL/kg/分で10分間持続投与する(図1).

● Column ●

Lipid rescueに関する注意喚起

Lipid rescueの知識から思わずやってしまいそうなことに対して,『局所麻酔薬中毒への対応プラクティカルガイド』では注意喚起がなされている.

「痙攣に対しては,ベンゾジアゼピン,チオペンタールやプロポフォールが使用可能であるが,いずれも少量ずつ投与すること.プロポフォールの溶媒は脂肪乳剤であるが,その濃度は10%と低く,プロポフォールの投与量増加による直接心抑制が生じるため,脂肪乳剤による治療の代用としてはならない.」

表1 抗痙攣薬の種類と投与量

抗痙攣薬	投与量
セルシン®	3〜5 mg
ドルミカム®	2〜5 mg
ラボナール®	50〜100 mg
ディプリバン®	25〜50 mg

図1 Lipid rescueの流れ
イントラリポス輸液20%®(体重70 kg),最大投与量の目安は12 mL/kg

> イントラリポス輸液20%® 1.5 mL/kg(100 mL)を約1分かけて投与
>
> ⬇
>
> 0.25 mL/kg/分(1,000 mL/時)で持続投与開始
>
> ⬇
>
> 5分後,循環の改善が得られなければ再度1.5 mL/kg(100 mL)を投与するとともに持続投与
>
> ⬇
>
> さらに,5分後に再度1.5 mL/kg(100 mL)を投与(ボーラス投与は3回が限度)
>
> ⬇
>
> 循環の回復・安定後もさらに10分間は脂肪乳剤の投与を継続すること

参考文献

1) 日本麻酔科学会:局所麻酔薬中毒への対応プラクティカルガイド. https://anesth.or.jp/files/pdf/practical_localanesthesia.pdf Accessed on October 6, 2022.

Chapter 49 アナフィラキシーショックの診断と治療は？

Point

- ☑ 特徴的な症状は，低血圧，頻脈，顔面紅潮，最終的には呼吸苦に至って重症化する。
- ☑ ネオシネジン®が効かないことも診断に役立つ。
- ☑ 治療はボスミン®（アドレナリン）の筋肉内投与（0.3〜0.5mg）が第一選択である。

医療行為を行う以上，アナフィラキシーショックを起こす可能性はある。実際の無痛分娩中のアナフィラキシーショックの頻度は高くないが，**通常の分娩では使用しない薬剤（オピオイドなど）を使用するため，いつでも起こりうるというスタンスで臨む必要がある**。麻酔前表におけるアレルギー歴の問診や無痛分娩導入直前の確認は必須である。

アナフィラキシーショックの原因は，**即時型アレルギー（Ⅰ型）反応**とアナフィラキシー様反応の2つが混在する。どちらも，重症化すると致死的な状態に至る。

即時型アレルギー（Ⅰ型）反応
特にIgEを介した免疫反応により起こる。

アナフィラキシー様反応
免疫抗体は関与しない。非特異的反応。

アナフィラキシーショックの診断

初発症状は"不穏状態"であることが多いが，見逃されやすい。**低血圧，頻脈，顔面紅潮**などで診断できる（表1）が，昇圧薬への反応の悪さも診断の一助となる。呼吸苦から呼吸困難になる前に診断し，治療したい。

● Column ●
アナフィラキシーショックの補助診断
・不穏状態
"不穏状態"とは，行動が活発になり落ち着きがない状態とされる。筆者は「あれ？この妊婦さんはこんなに落ち着きがない方だったかな？」と不思議に思ったら，不穏状態と捉え，アレルギー反応を疑うことにしている。
・ネオシネジン®無効
頻脈を伴う低血圧には，昇圧薬としてα受容体刺激作用だけのネオシネジン®が選択される。このネオシネジンが効かないことも，アナフィラキシーショックを強く疑う要因となる。これは，ボスミン®（アドレナリン）という使用に躊躇しがちな薬剤を使用する動機づけになるともいえよう。

アナフィラキシーショックの治療（図1）

アナフィラキシーショックを強く疑ったら，**ボスミン®（アドレナリン）の筋肉内投与**の準備をする。同時進行で，**輸液負荷，酸素投与**も行う。ボスミン®の投与量は，**0.3～0.5mg**で，**三角筋もしくは大腿四頭筋**に注入する。低血圧が重篤である場合には，静脈内投与（0.1mg）も考慮する。妊婦のアナフィラキシーショックも，非妊婦と同様の薬物を用いて支障はない[1]。

Chapter 7
⇨p.14参照

> **Memo**
> ボスミン®の**静脈内投与**は，麻酔科医あるいは救急救命医により施行されることが望ましい。

表1　アナフィラキシーショックとの鑑別を要する病態

	出血 （脊髄くも膜下麻酔直後含む）	麻酔導入後 （全身麻酔含む）	アナフィラキシーショック	肺うっ血 （帝王切開の児娩出後）
血圧	低下	低下	低下	変化なし
心拍数	上昇	低下	上昇	変化なし
顔色	白	白	赤	赤
呼吸苦	なし	なし	あり	あり

図1　アナフィラキシーショックの治療の流れ

アナフィラキシーショックと診断したら，蘇生ができる準備を行いながら，アドレナリンの筋肉内投与を行う。ステロイドは第一選択ではない。

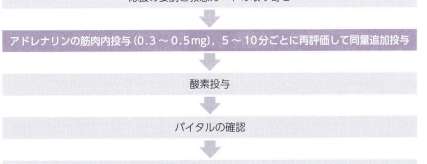

参考文献

1) Australasian Society of Clinical Immunology and Allergy: Acute Management of Anaphylaxis in Pregnancy.
https://www.allergy.org.au/images/stories/pospapers/ASCIA_Guidelines_Anaphylaxis_Pregnancy_Acute_Management_2020.pdf Accessed on October 6, 2022.

Chapter 50 胎児一過性徐脈にはどう対応する？

Point

- 胎児一過性徐脈は，無痛分娩導入直後に起こりうる最も重要な合併症の1つである。
- 胎児一過性徐脈の発生頻度は，硬膜外麻酔単独よりCSEA（脊髄くも膜下麻酔単独含む）のほうが高い。
- 対応法として，体位変換，酸素投与および子宮収縮薬の中止だけでなく，子宮筋の状態次第では，緊急子宮弛緩が選択されることもある。

無痛分娩における胎児一過性徐脈

無痛分娩導入直後（麻酔開始後10分以内）に起こりうる最も重要な合併症の1つに，**胎児一過性徐脈**という胎児心拍数異常がある。原因は明らかになっていないが，子宮筋の頻収縮（あるいは過収縮）が関与していると考えられている。

⇨ Column参照

無痛分娩導入直前の子宮収縮回数が多い場合やくも膜下腔にオピオイドを投与した場合に，胎児一過性徐脈のリスクは高くなる[1]が，帝王切開のリスクは高くならない。また，CSEAあるいは脊髄くも膜下麻酔でそのリスクは高まる[2]が，硬膜外麻酔で起こらないわけではないので，常に注意しておく。ただし，**ほとんどの場合はその名の通り"一過性"で，5分以内に回復する**が，これを知らなければ不必要な帝王切開に踏み切ってしまう。

Chapter 39, 40
⇨ p.78～参照

● Column ●

胎児一過性徐脈の原因（仮説）（図1）

胎児一過性徐脈の原因が解明されていないため，現在最も有力視されている仮説について説明する。分娩進行中の妊婦では，陣痛により内因性のカテコラミンが放出されている。そのため，このカテコラミンが子宮筋のβレセプターを刺激している状態にある。つまり，内因性のカテコラミンが子宮筋にとっては，β刺激作用を呈し子宮筋を弛緩させている状態である。このとき，麻酔によって急激に疼痛が緩和されると，内因性のカテコラミンの放出がなくなり，子宮筋のβレセプターへの刺激はなくなってしまう。その結果，子宮筋は逆に頻収縮（あるいは過収縮）を起こしてしまうというメカニズムである。この麻酔によって引き起こされた子宮筋の収縮によって，子宮胎盤血流が何かしらの障害を受け，さらに臍帯圧迫なども併発すれば，容易に胎児徐脈に至る。しかし，この収縮は長く継続しないため，一過性に終わるという仮説である。

胎児一過性徐脈への対応法（図2）

　無痛分娩導入直後の胎児一過性徐脈の原因が明らかでないため，**原則対症療法**となる。一般的な胎児徐脈への対応として，**体位変換，酸素投与，子宮収縮薬の中止**などが挙げられる。仮説ではあるが，子宮筋の状態（頻収縮あるいは過収縮）は確認すべきであろう。子宮の頻収縮（あるいは過収縮）を認める場合には，ミリスロール®による**緊急子宮弛緩（rapid tocolysis）** も治療の選択肢の1つとなる。

　北米では，Columnの仮説に基づき，**エフェドリン®投与**で対応している施設も多い。エフェドリン®のβ刺激作用が子宮筋を弛緩させることを期待しての選択である。

　このように無痛分娩導入直後の胎児一過性徐脈では基本的に帝王切開は必要ないとされるが，いつでも緊急手術に対応できる状態が理想である。

> **Memo**
> **緊急子宮弛緩（rapid tocolysis）**
> 子宮弛緩作用のある薬剤を用いて，子宮筋を速やかにかつ一時的に弛緩させること。産科麻酔領域ではミリスロール®（ニトログリセリン）が選択されることが多い。ミリスロール®は0.1mgの静脈内投与で約45秒後に効果を発現する。

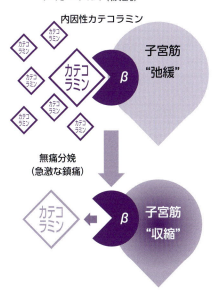

図1　急激な鎮痛が子宮筋に影響を与えるメカニズム（仮説）

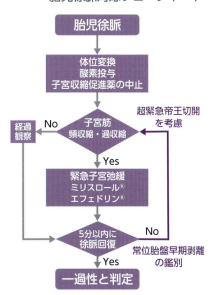

図2　麻酔導入後の胎児徐脈対応フローチャート

参考文献
1) Mardirosoff C, Dumont L, Boulvain M, et al: Fetal bradycardia due to intrathecal opioids for labour analgesia: a systematic review. BJOG 2022; 109: 274-81.
2) Grangier L, de Tejada BM, Savoldelli GL, et al: Adverse side effects and route of administration of opioids in combined spinal-epidural analgesia for labour: a meta-analysis of randomized trials. Int J Obstet Anesth 2020; 41: 83-103.

Chapter 51　PCAの設定は？

Point

- ☑ 硬膜外カテーテルを用いる無痛分娩において，PCAはスタンダードな管理法である。
- ☑ PCAによって，薬剤の総投与量を最小にし，副作用を軽減できる。
- ☑ PCAの設定には3つの要素があり，これに加えてPIBを併用する施設が多い。

PCAとは（図1）

PCAとは，**患者が疼痛を感じたときに自分でボタンを押し，薬剤が投与される概念で，それを可能にする装置を用いる管理法**である。このPCAは，患者の鎮痛を得るという目的において，**最も少ない投与量でコントロールできる方法である**[1]。これによって，薬剤による副作用も最小に抑えることができる。現在，硬膜外カテーテルを用いる無痛分娩において，PCAはスタンダードな管理法となっている。

使い方としては，硬膜外麻酔（DPE technique含む）やCSEAで初期鎮痛が得られた後に，無痛カクテルを投与するためにPCA装置を用いる。無痛分娩においてPCA装置を用いる際は，基本的に硬膜外カテーテルからの投与になるため，epiduralの頭文字の"E"を入れてPCEAと表現することが多い。

PCA；patient controlled analgesia

Chapter 37～39
⇨p.74～参照

PCEA；patient controlled "epidural" analgesia

PCAの設定（表1, 2）

PCAの設定には，**持続投与の流量，ボーラス投与量，ロックアウト時間**がある（表1）。また，PCA装置を使うことで，医療従事者の労務軽減にもつながり，患者の医療への参加も促すことができる。一般的な設定は表2に示す。

無痛分娩においては，持続投与は高用量でない限り効果が発現しにくいため，CI-PCA以外ではあまり選択されない。また，最近ではPIBを併用する施設が増えている。

Chapter 52
⇨p.104参照

図1　PCEA

妊婦がPCAボタンを押すとPCA装置の薬剤充填カートリッジから硬膜外カテーテルを通して設定された量だけ薬剤が注入される。

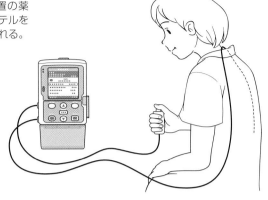

表1　PCAの設定項目の詳細

PCAの設定項目	単位	詳細
持続投与の流量 (background dose)	mL/時	PCAボタンを押さなくても持続的に投与されるスピード
ボーラス投与量 (bolus dose)	mL	PCAボタンを押したときに投与される1回量
ロックアウト時間 (lock-out time)	分	1度PCAボタンを押すと反応しない時間

表2　PCA装置の設定例（CADD®-Solisの場合）

	無痛カクテル	0.1%アナペイン®（フェンタニル2μg/mL）
PCAの設定	持続投与の流量	なし
	ボーラス量	5mL
	ロックアウト時	15分
その他の設定		PIB間隔：45〜60分，1回ボーラス量：5mL

PIB：programed intermittent bolus

参考文献

1) Halpern SH, Carvalho B: Patient-controlled epidural analgesia for labor. Anesth Analg 2009; 108: 921-8.

Chapter 52　PIBやCI-PCAとは？

Point

- PCAの限界を補完する機能としてPIBとCI-PCAがある。
- どちらも突発痛（BTP）をきたさないために併用する。
- PIBではボーラス投与が，CI-PCAでは持続投与がPCAに追加される。

硬膜外無痛分娩におけるPCAの限界

　無痛分娩におけるPCA装置の設定では持続投与を行わないことが多い。そのため，患者がPCAボタンを押すことを躊躇したり，分娩が急激に進行したりすると突発痛（BTP）をきたしやすい。そのため，さまざまな工夫が行われてきた。その代表的なものに，PIBとCI-PCAがある。どちらも無痛分娩の管理に関して医師のマンパワー不足を解消するために，シンガポールのKK HospitalのDr. Alex Siaが考案したものである[1,2]。今後もソフトウェアを含む医療テックから目を離せない。

BTP；breakthrough pain

Chapter 53
⇨ p.106参照

新しいPCA装置の機能　PIBとCI-PCA （表1, 図1）

● PIBとは

　PIBは，患者がPCAボタンを押さなくても一定の時間が経過したらボーラス投与がされるシステムである。PCAボタンのコンプライアンスが悪い妊婦でも，PIBにより定期的に投薬され麻酔範囲を保ち，BTPの発生を防ぐ効果が期待される[1]。現在，スミスメディカル社のCADD®-Solisと大研医器社のクーデック®エイミー®PCAに搭載されている（図2）。無痛分娩ではPIB間隔を45〜60分に設定することが多い。

● CI-PCAとは

　CI-PCAは，直近の1時間のPCAボタンを押した回数の履歴から，次の1時間の持続投与の流量を決定するようにプログラムされたものである[2]。ボーラス投与のPIBとは違い，持続投与で麻酔範囲を保つことになる。そのため，流量が多い（10 mL/時や20 mL/時）のが特徴である。

表1　PIBとCIPCAの特徴

PCAの追加設定	投与量決定因子	投与法
PIB (programed intermittent bolus)	一定時間ごとに投与	ボーラス投与
CIPCA (computer integrated PCA)	直近1時間のPCAボタンを押した回数の履歴から，次の1時間の持続投与量を決定	持続投与

Column

持続投与の注意点

一般的な無痛分娩では，L3-4から硬膜外カテーテルを挿入する1カ所穿刺法を選択することが多い。このような特徴から，少量の持続投与では薬液が頭側（T10～L1）および尾側（S2～4）に広がりにくい。CI-PCAでは，流量を多くすることでこの課題を解決しようとするものである。万が一，カテーテルの迷入などが発見できずに麻酔が開始された場合，合併症のリスクは高まることになる。そのため，筆者は，CI-PCAに関して麻酔科医が24時間365日無痛分娩をサポートするような施設でのみ採用するほうが望ましいと考えている。

図1　PIBとCIPCA

PIB：患者がPCAボタンを押さなくても45～60分に1回はボーラス投与される。
CIPCA：60分間の履歴により，次の60分間の持続投与速度が決定される。

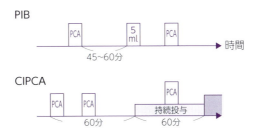

図2　CADD®-Solisとクーデック®エイミーPCA

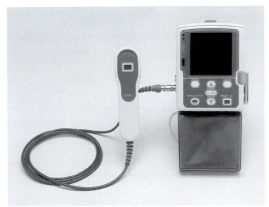
（スミスメディカル・ジャパン株式会社より提供）

（大研医器株式会社より提供）

参考文献

1) Sng BL, Zeng Y, de Souza NNA, et al: Automated mandatory bolus versus basal infusion for maintenance of epidural analgesia in labour. Cochrane Database Syst Rev 2018; 5: CD011344.
2) Sng BL, Woo D, Leong WL, et al: Comparison of computer-integrated patient-controlled epidural analgesia with no initial basal infusion versus moderate basal infusion for labor and delivery: A randomized controlled trial. J Anaesthesiol Clin Pharmacol 2014; 30: 496-501.

Chapter 53　突発痛（BTP）の原因は？

Point

- ☑ 初期鎮痛が得られた後（麻酔効果判定OK）にNRSが3以上になった場合をBTPといい，適切に対応する。
- ☑ BTPへ適切に対応するためには，原因の検索が重要であり，痛みの増強と麻酔の問題の2つに大別される。
- ☑ BTPが起こった場合，速やかに内診による分娩進行の把握と麻酔範囲の確認（コールドテスト）を行う。

突発痛（BTP）とは（図1）

　突発痛（BTP）とは，初期鎮痛（イニシャルドーズ）によりいったん麻酔効果判定OK（NRSが3未満，麻酔範囲が両側T10〜Sを満たした状態）となり妊婦にPCAボタンを渡した後，何かしらの原因によりNRS 3以上となった状態をいう。まさに，"鎮痛を突破された"状態であり，速やかに原因検索を行い，その原因に見合った対応（レスキューや再穿刺など）を行わないと安全で質の高い無痛分娩は提供できない。

BTP；breakthrough pain

Chapter 41
⇨ p.82参照

NRS；numerical rating scale

Chapter 54, 55
⇨ p.108〜参照

BTPの原因検索

　BTPの原因は2つに大別され，1つは**痛み（侵害刺激）の増強**によるもの，もう1つは**麻酔の問題**によるものである。これらを整理したうえで最も適した対応を実行する（図2）。

痛みの増強（NRS ≧ 3）

　痛み（侵害刺激）の増強によるものには，急激な分娩進行，子宮収縮薬への反応，破水による影響，児頭陥入といった陣痛が増強するタイミングで起こるものが多い。このとき，内診による分娩進行の適切な把握を行わなければならない。回旋異常でも痛みが増強する場合が多く，詳細に評価したい。
　また，まれではあるが子宮破裂や常位胎盤早期剥離などの痛みは"無痛カクテル"程度の麻酔では抑えきれないため，その徴候を見逃さないように注意を払う。一方，心理的に強弱のある痛みは評価しにくい。

Chapter 59, 61
⇨ p.118,122参照

Chapter 21
⇨ p.42参照

Chapter 62
⇨ p.124参照

Chapter 67, 68
⇨ p.134〜参照

Chapter 37
⇨ p.74参照

麻酔の問題

　麻酔の問題によるものには，麻酔範囲が不十分な状態や硬膜外カテーテルの不具合（カテーテルの事故抜去など）がある。そのため，BTPが起きた場合には，まずコールドテストなどによる麻酔範囲の確認を行い，硬膜外カテーテルの信頼性を評価する。

Chapter 54, 64
⇨ p.108,128参照

Column参照

Column

麻酔範囲はしっかりあるが疼痛を訴える

麻酔範囲はT10〜Sをカバーしているが NRS が3以上となっている場合，鎮痛する力が足りない可能性がある．これは，痛み（侵害刺激）に対し，鎮痛する力（痛み刺激という電気信号をブロックする力）が相対的に弱いことを意味する．局所麻酔薬濃度を上げるか，鎮痛薬（フェンタニルなど）を追加して対応することが多い．それでも軽快しない場合は，もう一度回旋異常，さらに常位胎盤早期剥離や子宮破裂を鑑別すべきであろう．麻酔範囲が T10〜S をカバーしているからといって，NRS 3以上を経過観察してよいわけではない．

図1 突発痛（BTP）とは
(breakthrough pain)

初期鎮痛が得られ（初期鎮痛→麻酔効果判定OK），妊婦にPCAボタンを渡した後に，再び疼痛が出現（NRS≧3）した場合を breakthrough pain（BTP）という．麻酔効果判定がOKとならずに，疼痛を訴え続けている場合は，BTPではなく，あくまで「初期鎮痛が得られていない」状態である．

図2 BTPの原因検索
(NRS≧3)

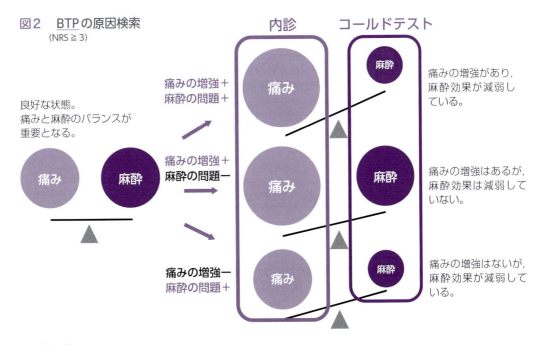

参考文献

1) Hess PE, Pratt SD, Lucas TP, et al: Predictors for breakthrough pain during labor epidural analgesia. Anesth Analg 2021; 93: 414-8.

Chapter 54 | BTPへの対応はどうする？ ①薬剤の追加投与（レスキュー）編

Point

- ☑ BTPへの対応として，薬剤の追加投与（レスキュー）と再穿刺の2つがある。
- ☑ レスキュー15分後には，必ず麻酔効果を判定しなければならない。
- ☑ レスキュー無効の場合，カテーテルの信頼性はないと判断され，カテーテルの抜去が決定される。

BTP（NRS≧3）への対応

BTPが起きた場合，しっかりとした原因検索を行ったうえで適切な対応を行うべきである。この対応には，大きく分けて薬剤の追加投与（レスキュー）と再穿刺の2つがある。このとき，原因の評価と分娩の進行状況によっては，レスキューとしての薬剤投与ではなく，脊髄くも膜下麻酔などの再穿刺を選択しなければならない場合もある。

Chapter 52でも解説したが，NRSが3以上となった場合（BTP），速やかに内診とコールドテストをしなければ，評価自体ができないことを認識しておく。「痛かったら，とりあえず○○を××mL投与」というルールでは，質も安全性も担保できない。

BTP；breakthrough pain

Chapter 40, 55
⇨p.80, 110参照

NRS；numerical rating scale

Chapter 41
⇨p.82参照

薬剤の追加投与（レスキュー）

BTPの原因検索で，明らかなカテーテルの不具合がなく，分娩進行からも硬膜外カテーテルからの薬剤投与で間に合いそうな場合に限り，再穿刺ではなくレスキューを選択する（図1）。

レスキューの具体的方法は表1に示す。薬剤を投与（レスキュー）した15分後には，必ず"麻酔効果"を判定しなければならない。"麻酔効果"とは痛みと麻酔範囲の2つであり，NRSが3未満に低下しているかと麻酔範囲がT10～Sまで左右とも広がっているかを確認する。

それでも改善しない場合は，カテーテルの信頼性（⇨Column参照）がないと判断し，先ずはカテーテルの抜去を決定する。その後，カテーテルの再挿入を含めた"再穿刺"を考慮する流れとなる。

Chapter 41
⇨p.82参照

Chapter 55
⇨p.110参照

カテーテルの信頼性

カテーテルの信頼性が確保されていれば，無痛分娩から帝王切開への移行（コンバージョン）の際に，現時点で挿入されている硬膜外カテーテルから局所麻酔薬などを投与し，そのまま帝王切開の麻酔に用いることができる。その条件として，**無痛分娩中の疼痛管理が良好で，麻酔範囲がT10～Sをしっかり確保できていることが望ましい。**つまり，無痛分娩の質を担保しているようなカテーテルであれば，超緊急時の母体への全身麻酔を回避できる可能性があり，安全性の担保にもつながることになる[1]。このような理由から，"カテーテルの信頼性"を獲得するためには，厳格な評価が必要とされる。

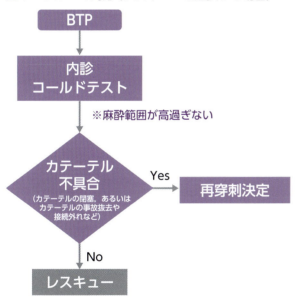

図1　BTPへの対応（レスキューを選択する場合）

表1　レスキューの実際例

		麻酔範囲（広がり）	
		良い	悪い
NRS	3未満	—	カクテル5～10mL
	3以上	カクテル5mL （+フェンタニル1mL）	カクテル5～10mL （+フェンタニル1mL）

参考文献

1) Grap SM, Patel GR, Huang J, et al: Risk factors for labor epidural conversion failure requiring general anesthesia for cesarean delivery. J Anaesthesiol Clin Pharmacol 2022; 38: 118-23.

Chapter 55 BTPへの対応はどうする？ ②再穿刺編

Point

- ☑ BTPへの対応として、レスキュー無効の場合も再穿刺の対象となる。
- ☑ いかなる理由があっても、信頼できないカテーテルは使用しない。
- ☑ 穿刺する椎間は、前回の刺入部位と麻酔範囲を参考に、1椎間上下に移動してもよい。

信頼できないカテーテル

BTPが起きた際には内診と麻酔範囲を確認し原因検索を行い、Chapter 54の図1のようにレスキューか再穿刺を選択することになる。レスキューをしてもNRSの低下が認められなければ、カテーテルの信頼性がないと判断される。

まず、現在のカテーテルを抜去（使用しない）することが決定される。次に新たな投薬経路を確保するために、分娩までの残り時間などを考慮し、麻酔法が決定される。選択肢として**硬膜外カテーテルの再挿入**あるいは**脊髄くも膜下麻酔**を行うことになる。そのため、単に"カテーテルの再挿入"とはせず、"再穿刺（re-site）"と表現している（図1）。

BTP；breakthrough pain
Chapter 54, 64, 65
⇨p.108, 128〜参照
NRS；numerical rating scale

Chapter 40
⇨p.80参照

再穿刺

カテーテルの信頼性がなく抜去された後、新たな投薬経路確保のために、再穿刺を行う。このとき、**麻酔範囲が胸部に至っているような場合には注意を要する**。いかなる理由があろうとも、信頼できないと判断したカテーテルは使用しない。

⇨Column参照

Column

信頼できないカテーテルの取り扱い

一度信頼できないと判断されたカテーテルは、いかなる理由があっても使用しない。再穿刺ができない状況でも使用しないことは決定すべきであろう。特に、**患者の判断は何の根拠にもならず、再穿刺への恐怖からそれを拒むこともある**ため注意する。例えば、抗がん剤の点滴が漏れているような状況では患者が「このままでも大丈夫です」といっても、躊躇なく抜針するだろう。このように、硬膜外カテーテルも扱わねばならない。なぜならば、**硬膜外無痛分娩の致死的合併症は、基本的にカテーテルからの投薬によって起こる**からである[1]。

これまでの内診所見から，分娩までの残り時間を考慮し，麻酔法を選択する。60分以内に分娩に至ると判断される場合は，脊髄くも膜下麻酔を選択することもできる（表1）。

　穿刺する椎間は，前回の刺入部位と麻酔範囲を参考に，1椎間上下に移動してもよい。

図1　BTPへの対応チャート

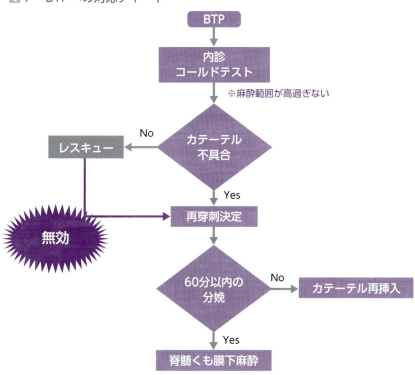

表1　再穿刺時の麻酔法の選択

分娩までの時間	投薬経路	麻酔法
60分未満	くも膜下腔	脊髄くも膜下麻酔 CSEA
60分以上	硬膜外腔	硬膜外麻酔 DPE technique （CSEA）

参考文献
1) Cheesman K, Brady JE, Flood P, et al: Epidemiology of Anesthesia-Related Complications in Labor and Delivery, New York State, 2002-2005. Anesth Analg 2009; 109: 1174-81.

Chapter 56 | 無痛分娩管理中の合併症は？総論

Point

- ☑ 無痛分娩管理中の合併症は，麻酔自体によるものと麻酔が分娩に与える影響によるものの2つに分けられる。
- ☑ 麻酔自体による合併症は，基本的には薬剤によるものである。
- ☑ 無痛分娩管理中，麻酔は分娩の要素の中の"娩出力"と"産道"に影響を与えている。

　無痛分娩管理中の合併症も麻酔導入時の合併症と同様に，**麻酔自体によるものと麻酔が分娩に与える影響によるもの**の2つに分けられる。

Chapter 42
⇨ p.84参照

麻酔自体によるもの（表1）

　無痛分娩管理中の麻酔自体による合併症は基本的には薬剤によるものであり，**母体発熱，掻痒感，排尿障害**，さらには**遅発型局所麻酔薬中毒**などがある。

Chapter 47, 48
⇨ p.94〜参照

　母体発熱の原因は解明されていないが，局所麻酔薬による毒性が関与しているという説が有力である。**無痛分娩症例の10〜20%で38℃台の発熱を呈することがある。感染症との鑑別が必要**となる。

Chapter 57
⇨ p.114参照

　掻痒感は，硬膜外腔やくも膜下腔に投与された**オピオイド**による三叉神経脊髄路核の膠様質にあるかゆみ中枢の刺激が原因とされる。有害ではないが，症状が強ければ非常に不快である。

Chapter 57
⇨ p.114参照

　排尿障害は無痛分娩に伴って一時的に起こることがあるが，退院時まで持続することは稀である。児頭の圧迫による神経損傷や**オピオイド**が関与していると考えられ，産後も自己導尿が必要になるような尿閉にいたる場合もあり，産後の精神的ケアにもかかわってくる。

Chapter 57
⇨ p.114参照

麻酔が分娩に与える影響によるもの（表2）

　無痛分娩管理中，**麻酔は分娩の要素の中の"娩出力"と"産道"に影響を与えている**。

　娩出力への影響に関しては，麻酔導入直後には**胎児一過性徐脈**が起こりうるが，無痛分娩管理中に子宮収縮は弱くなり間隔も開くため**続発性微弱陣痛**となりやすい。速やかに対応をしなければ，ただただ分娩が遷延することになる。さらに，**児娩出時の怒責は非麻酔時より減弱する**ことが知られており，器械分娩率の上昇につながる。

Chapter 50
⇨ p.100参照

Chapter 59
⇨ p.118参照

　一方，産道への影響に関しては，麻酔導入直後には**子宮頸管が弛緩**することと**子宮頻・過収縮**が誘発されることが重なり，分娩が急速に進行

することがある．その後，無痛分娩管理中には，**骨盤底筋群の弛緩**と続発性微弱陣痛によって**回旋異常**になりやすい．

Chapter 62
⇨ p.124参照

表1　無痛分娩管理中の麻酔自体による合併症

分類	合併症	対応法	参照Chapter
薬剤	母体発熱	感染症との鑑別	57
	掻痒感	ナロキソン®での拮抗	57
	尿閉	導尿などの産後フォロー	56
	遅発型局所麻酔薬中毒	脂肪乳化製剤投与（lipid rescue），心肺蘇生	47，48

表2　麻酔が分娩に与える影響

分類	タイミング	合併症	対応法	参照Chapter
娩出力	麻酔導入時	胎児一過性徐脈	緊急子宮弛緩	50
	麻酔維持	続発性微弱陣痛	子宮収縮薬	59
	児娩出時	怒責力低下	器械分娩	60
	児娩出後	弛緩出血	子宮収縮薬，輸血	69
産道	麻酔導入時	分娩の急速な進行	分娩の準備	61
	麻酔維持	回旋異常	器械分娩あるいは帝王切開	62
	児娩出後	創部出血	速やかな創縫合	69

参考文献

1) Segal S: Labor epidural analgesia and maternal fever. Anesth Analg 2010; 111: 1467-75.
2) Kumar K, Singh SI: Neuraxial opioid-induced pruritus: An update. J Anaesthesiol Clin Pharmacol 2013; 29: 303-7.
3) Choe WS, Ng BK, Atan IK, et al: Acceptable Postvoid Residual Urine Volume after Vaginal Delivery and Its Association with Various Obstetric Parameters. Obstet Gynecol Int 2018; 2018: 5971795.

Chapter 57 母体発熱と掻痒感にはどう対応する？

Point

- 無痛分娩では母体発熱（38℃台）をきたすことがあるが，原因は解明されていない。
- 母体発熱は感染症の除外ができても，胎児頻脈による出生時のダメージを考慮して分娩管理を行う。
- 掻痒感への対応はクーリングであるが，無効の場合にはナロキソン®による拮抗も考慮する。

母体発熱（表1）

硬膜外麻酔による無痛分娩では，10〜20％の割合で母体が38℃台の発熱をきたすことが古くから指摘されてきた[1]。特に4時間以上にわたる分娩においては顕著であるといわれている。しかし，そのメカニズムはいまだに解明されていない。

⇨Column参照

発熱した母体から出生した児は，感染に対する検査が行われ抗菌薬が投与されていたこともあるが，明らかに敗血症と診断される割合は増加しない。**母体発熱だけを理由に帝王切開を決定するのではなく，子宮内感染の可能性を吟味する時間はあると考える**（図1）。ただし，母体発熱は胎児頻脈を引き起こし胎児の酸素需要量を増やし，出生時の低酸素による中枢神経へのダメージを大きくする可能性があるため，発熱時にはクーリングなどにより積極的に母体の体温を下げることが望ましい[2]。同時に，**水分補給や輸液の量に不足がないかどうかも確認する**。

Column

無痛分娩時の母体発熱の原因
英国のSultanらは，分娩自体の炎症反応に加え，局所麻酔薬のミトコンドリアへの毒性が分娩の炎症反応を助長させていると推察している[3]。さまざまなことが解明されていない分娩自体に無痛分娩という新しい要因が加わるため，わからないまま日常臨床を行わなければならないこともある。

掻痒感（表1）

硬膜外腔や脊髄くも膜下腔にオピオイドを投与した場合，副作用として身体のどこともなく"かゆみ"を感じることがある。これは硬膜外投与よりもくも膜下投与で多く認められ，その頻度は約50％といわれている。**オピオイドによる三叉神経脊髄路核の膠様質にあるかゆみ中枢の刺激**と考えられている[4]。

母体の不快感に対しては，かゆい部分を保冷剤などでクーリングすると症状が軽快することが多い。ただし，あまりにも症状が強い場合には，オピオイドの鎮痛効果はなくなってしまうが，拮抗薬であるナロキソン®やソセゴン®の投与が有効である。また，この掻痒感自体は新生児に影響を与えない。

表1　母体発熱と掻痒感

	母体発熱	掻痒感
頻度	10〜20%	約50%
原因	原因不明	オピオイドの副作用で全身症状
特徴	麻酔4時間以上で38℃台	くも膜下腔＞硬膜外腔
対応	感染症の除外	局所のクーリング
	クーリング	ナロキソン®

図1　母体発熱時の対応フローチャート

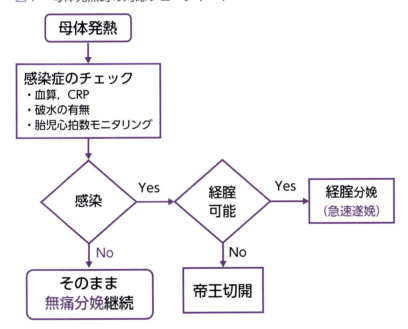

参考文献

1) Segal S: Labor epidural analgesia and maternal fever. Anesth Analg 2010; 111: 1467-75.
2) Goetzl L: Epidural analgesia and maternal fever: a clinical and research update. Curr Opin Anaesthesiol 2012; 25: 292-9.
3) Sultan P, David AL, Fernando R, et al: Inflammation and Epidural-Related Maternal Fever: Proposed Mechanisms. Anesth Analg 2016; 122: 1546-53.
4) Kumar K, Singh SI: Neuraxial opioid-induced pruritus: An update. J Anaesthesiol Clin Pharmacol 2013; 29: 303-7.

Chapter 58 | 麻酔が分娩に与える影響は？総論

Point

- ☑ 分娩の3要素のうち麻酔が影響を与えるのは娩出力と産道で，娩出物には直接的には影響を与えない。
- ☑ 分娩経過によって，麻酔の分娩に与える影響は変化する。
- ☑ 麻酔維持のタイミングでは，娩出力は麻酔導入時とは逆に低下し，産道は麻酔導入時から弛緩したままである。

分娩の3要素（表1）

麻酔という医療介入が影響を与えうる"分娩"というものは，一般的に3つの要素に分けて考えることが多い。これを「分娩の3要素」といい，**娩出力，産道，娩出物**からなる。これらのうち，**麻酔が影響を与えるのは娩出力と産道で，娩出物には直接的には影響を与えない**。

娩出力は陣痛における産み出す力のことで，麻酔によってさまざまな影響を受ける。

産道には骨産道と軟産道があり，麻酔の影響を受けるのは軟産道（骨盤底筋群や靱帯）である。

娩出物（胎児・新生児）は，麻酔による母体発熱によって頻脈になったり，娩出力や産道への影響から回旋異常になったりするものの，これらは直接的な影響ではない。

Chapter 57
⇨ p.114参照

Chapter 62
⇨ p.124参照

> **Memo**
>
> **麻酔の娩出物への影響**
> 麻酔として用いる薬剤は，低濃度の局所麻酔薬とオピオイドのみである。そのため，胎児に直接影響を与えるほどの胎児血中濃度になるようなことは考えにくい。しかし，児娩出直前にオピオイドによる"レスキュー"（*Chapter 54*参照）を頻回に行うと，児のオピオイドに対する感受性によっては新生児呼吸抑制を起こす可能性があるので，注意が必要である[1]。

分娩経過による分類（表2）

分娩経過によって，麻酔の分娩に与える影響は変化する。

娩出力に関しては，麻酔導入時には**子宮筋の頻収縮・過収縮**が引き起こされ，**胎児一過性徐脈**の原因になることがある。それ以降の麻酔維持のタイミングでは逆に陣痛の間隔が広がり，娩出力が低下し**続発性微弱**

Chapter 50
⇨ p.100参照

Chapter 59
⇨ p.118参照

陣痛と診断されることが多い。そのため，麻酔導入後の落ち着いた段階で，子宮収縮薬による陣痛促進が必要になる。

また，児娩出時には怒責だけでは児娩出に至らないこともあり，**器械分娩**が増加する可能性がある。さらに，児娩出後に子宮筋が疲弊している場合には，**弛緩出血**に至ることもある。

Chapter 60
⇨p.120参照

Chapter 69
⇨p.138参照

産道に関しては，麻酔導入時には骨盤底筋群や靱帯などの弛緩と子宮筋の頻収縮・過収縮とが重なり，**分娩の急速な進行**をきたすことがあり注意を要する。

Chapter 61
⇨p.122参照

それ以降の麻酔維持のタイミングでは，逆に骨盤底筋群や靱帯などの弛緩と娩出力の低下とが重なり，**回旋異常**をきたすことが多い[2]。

Chapter 62
⇨p.124参照

表1 分娩の3要素と麻酔の関連

分娩の3要素	麻酔との関連
娩出力（陣痛）	○
産道（骨産道，軟産道）	○
娩出物（胎児，胎児附属物）	△

表2 麻酔が分娩に与える影響

分類	タイミング	合併症	対応法	参照Chapter
娩出力	麻酔導入時	胎児一過性徐脈	緊急子宮弛緩	50
	麻酔維持	続発性微弱陣痛	子宮収縮薬	59
	児娩出時	怒責力低下	器械分娩	60
	児娩出後	弛緩出血	子宮収縮薬，輸血	69
産道	麻酔導入時	分娩の急速な進行	分娩の準備	61
	麻酔維持	回旋異常	器械分娩あるいは帝王切開	62

参考文献

1) Kumar M, Paes B: Epidural opioid analgesia and neonatal respiratory depression. J Perinatol 2003; 23: 425-7.
2) Okada H, Amano K, Okutomi T, et al: Association between intrapartum fetal head malrotation and motor block by neuraxial analgesia: a randomized trial. Can J Anaesth 2014; 61: 1132-3.

Chapter 59 娩出力低下にどう対応する？続発性微弱陣痛

Point

- ☑ 無痛分娩において，麻酔導入後30分程度経過すると子宮収縮力が減弱し，子宮収縮間隔が延長する。
- ☑ 無痛分娩という医療介入に合わせた積極的な産科的医療介入が重要となる。
- ☑ 続発性微弱陣痛と診断したら，速やかに子宮収縮薬（アトニン®）を使用することが望ましい。

子宮収縮薬（アトニン®）の使用（図1, 表1）

　無痛分娩において，麻酔導入後30分程度経過すると子宮収縮力が減弱し，子宮収縮間隔が延長することはよく経験されるが，そのメカニズムはいまだ明らかにされていない。しかし，速やかに"続発性微弱陣痛"と診断し，子宮収縮薬（アトニン®）を投与しなければ，分娩が遷延してしまう。この子宮収縮薬を投与する判断こそ，産科医や助産師が無痛分娩をどのように理解しているかにかかっている。（麻酔が分娩進行という時間軸でどのように分娩に影響を及ぼすかは，Chapter 58の表2を参照されたい。）

　一般的に無痛分娩症例では，子宮収縮薬［アトニン®（オキシトシン）］の使用割合が増加する。麻酔導入時の合併症がないことを確認できたら，麻酔導入後60分程度のタイミングで判断する。続発性微弱陣痛と診断したら，速やかに子宮収縮薬を使用するなどの積極的な産科的医療介入が重要となる（Column参照）。実際，アトニン®の開始を躊躇しないほうが帝王切開になりにくい。アトニン®の使用に関してはガイドラインを遵守して行う。

● Column ●

無痛分娩に合わせた産科的医療介入

無痛分娩では，妊婦が痛みを緩和され通常より静かであるのをいいことに，さまざまな判断を先延ばしにされる傾向がある。無痛分娩では通常とは違い，無痛分娩という医療介入に合わせた産科的介入が必要となることが多い。そのため，無痛分娩以外の分娩に精通していることが前提となる。アトニン®の使用や器械分娩にリスクを感じるようであれば，無痛分娩を管理することは非常に危険であると筆者は考える。

人工破膜（表1）

無痛分娩において，微弱陣痛への対応として人工破膜を行う施設もある。その是非については議論が続いているが，無痛分娩を通常の分娩とはまったく違うものとして認識していることを暗に表しているともいえる。ただし，その人工破膜の施行に関しては，ガイドラインと照らし合わせて，安全に行うことが推奨される。児頭が固定している状態であることが望ましい。

図1 無痛分娩の麻酔導入後における娩出力低下への対応フローチャート

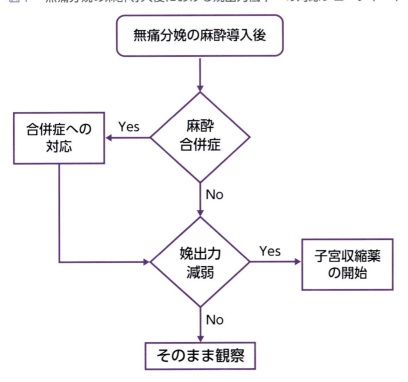

表1 娩出力低下への対応とガイドライン

対応	ガイドライン該当箇所
子宮収縮薬	『産婦人科診療ガイドライン：産科編2020』CQ404, CQ411, CQ415-2, CQ415-3
人工破膜	『産婦人科診療ガイドライン：産科編2020』CQ404-6

参考文献

1) Anim-Somuah M, Smyth RM, Cyna AM, et al: Epidural versus no-epidural or no analgesia for pain management in labour. Cochrane Database Syst Reve 2018; 5: CD00331.

Chapter 60 娩出力低下にどう対応する？ 怒責力の低下

Point

- ☑ 無痛分娩では怒責力が低下し，器械分娩率が約1.4倍になる。
- ☑ 局所麻酔薬の濃度が高いと，運動神経が遮断され，さらに怒責力の低下につながる。
- ☑ 分娩第2期が遷延していると判断した場合には，速やかに産科的医療介入を行う。

児娩出時の麻酔の影響

児娩出までの分娩経過において，無痛分娩による娩出力の低下は速やかな子宮収縮薬の投与によって通常レベルに回復する。しかし，**児娩出時の怒責力は麻酔の効果がなくならない限り，ある程度の低下はやむをえない**。そのため，無痛分娩では**器械分娩率が相対リスク1.44倍になる**[1]。同様に，無痛分娩では**分娩第2期の遷延**も起こり，特に初産婦においては分娩第2期が20分程度延長する[1]。

Chapter 59 ⇨p.118参照

また，局所麻酔薬の濃度が高いと運動神経が遮断され，さらに怒責力の低下につながる。そのため，無痛分娩に使用する局所麻酔薬は低濃度にして，器械分娩が増加しないようしていることが一般的である。

それでも児頭陥入後のBTP（特に体性痛）に対しては低濃度の局所麻酔薬では鎮痛できないこともあるが，この場合も高濃度の局所麻酔薬による怒責力の低下を避けるため，フェンタニル®（オピオイド）50μgを添加して対応することが望ましいと筆者は考える。

BTP；breakthrough pain

> **Memo**
> **器械分娩とは？**
> 器械分娩は，分娩第2期（子宮口全開大後）において急速遂娩が必要となった場合，器械（吸引装置や鉗子）を用いて経腟分娩をサポートする方法である。具体的には吸引分娩と鉗子分娩の2つがある（図1，表1）。器械分娩の詳細は成書を参照されたい。

怒責力低下への対応

怒責力の低下から分娩第2期が遷延していると判断した場合，延々粘ることに意味はなく，産科的医療介入を先延ばししてはならない。したがって，**分娩担当医には，器械分娩が必要な場合に速やかに実行できるスキルが求められる**。

散々粘った挙句，分娩停止で帝王切開を行う場合には，子宮筋疲弊に伴うリスクを妊婦に背負わせることになる。一方，無痛分娩によって帝王切開率は上昇しない。

● Column ●

怒責力を回復させる秘策？

分娩第2期にPCA装置をオフにして，分娩第2期遷延を回避し，経腟分娩を達成しようとする試みがしばしば行われているが，これらの取り組みは効果がないことが証明されている[2]。われわれ医療従事者は，妊婦および家族にとってかけがえのない"出産"というライフイベントに対して真摯に取り組まねばならない。無痛分娩を選択した妊婦は「最後は痛くても良い」というバースプランを望んではいないだろう。

図1 吸引分娩と鉗子分娩のシェーマ

吸引分娩
吸引カップで児頭に陰圧をかけて牽引する方法

鉗子分娩
鉗子分娩専用の鉗子で児頭を把持して牽引する方法

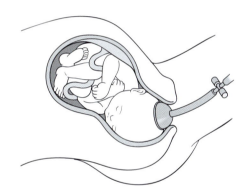 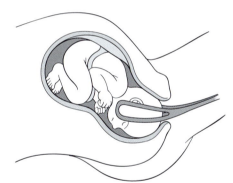

表1 器械分娩の種類と特徴

器械分娩の種類	牽引力	牽引回数の制限	習熟の難易度
吸引分娩	弱い	5回（滑脱回数を含む），総牽引時間20分	低い
鉗子分娩	強い	原則一回	高い

参考文献

1) nim-Somuah M, Smyth RM, Cyna AM, et al: Epidural versus no-epidural or no analgesia for pain management in labour. Cochrane Database Syst Reve 2018; 5: CD00331.
2) Torvaldsen S, Roberts CL, Bell JC, et al: Discontinuation of epidural analgesia late in labour for reducing the adverse delivery outcomes associated with epidural analgesia. Cochrane Database Syst Rev 2004; 2004: CD003357.

Chapter 61 | 麻酔の産道への影響は？ ①急速な分娩進行

Point

- ☑ 無痛分娩によって，骨盤底筋群や靱帯などのいわゆる"軟産道"が弛緩する。
- ☑ 麻酔導入後の早い段階（30分以内）で，軟産道の弛緩と子宮頻収縮・過収縮が重なると，急速に分娩が進行する。
- ☑ 経産婦，加速期からの麻酔導入，頸管熟化良好などの条件下では，より注意して観察することが望ましい。

麻酔の軟産道への影響

無痛分娩によって，骨盤底筋群や靱帯などのいわゆる"軟産道"が弛緩する（このとき，麻酔は骨産道には影響しない）。また，鎮痛効果の発現とともに，妊婦は痛みから解放され全身をリラックスさせることができる。

軟産道が弛緩している状態は，通常の経腟分娩からみると不自然である。このときの娩出力とのバランス次第で，分娩は麻酔によってさまざまな影響を受けることになる（表1）。

> **Memo**
> **股関節の可動域**
> 無痛分娩によって，麻酔範囲の筋肉や靱帯が弛緩する。さらに，鎮痛作用により，普段の関節可動域を超えていても疼痛を感じない場合が多い。特に股関節は分娩でも大きく動かすことになり，産後に思わぬ関節痛を引き起こすことになるので注意を要する。

無痛分娩と急速な分娩進行

麻酔導入後の早い段階（30分以内）で，軟産道の弛緩と子宮頻収縮・過収縮が重なると，急速に分娩が進行する症例をしばしば経験する。このとき，臍帯圧迫などにより胎児一過性徐脈が引き起こされる場合がある。特に，**経産婦，活動期からの麻酔導入，頸管熟化良好**などの条件下では，**より注意して観察することが望ましい**と筆者は考える。ただし，初産婦でも急速に分娩が進行する例もあり，いかなる場合も**麻酔導入後の"妊婦の訴え（妊婦の小さな変化）"には注意を払わなければならない**。

このように**麻酔の産道への影響と娩出力への影響は絡み合っており，無痛分娩管理には分娩に対する理解が必要である**。Chapter 9でも解説したように，麻酔自体およびその合併症への対応（麻酔業務）は麻酔科医

Chapter 50
⇨ p.100参照

に分担してもらうことができるが，分娩が麻酔によって影響を受けた状態や合併症には，産科医と助産師で対応しなければならない（図1）。

● Column ●

ブスコパン®効果

通常の分娩において，子宮口の開大に比べて展退や児頭下降度がよい場合，ブスコパン®を使用して，すぐに全開大した経験はないだろうか？ このような作用・用途は，以前は多くの産科医や助産師が経験していたと思われる[1]。無痛分娩でもこれに近いことが起こり，軟産道の弛緩と子宮頻収縮・過収縮が重なったときに顕著となる。こう考えると，「ブスコパン®を使いたいようなタイミング」で麻酔を導入すると，すぐに子宮口が全開大し，急速に分娩が進行するイメージがもてるのではないかと筆者は考える。

表1 軟産道の弛緩が娩出力の変化によって分娩に与える影響

麻酔導入時の条件	娩出力の変化	分娩への影響
通常	増強（60分未満）	分娩進行（？）
	低下（60分以降）	続発性微弱陣痛　回旋異常
経産婦　活動期　頸管熟化良好など	増強	急速な分娩進行

図2 業務分担

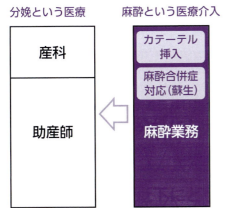
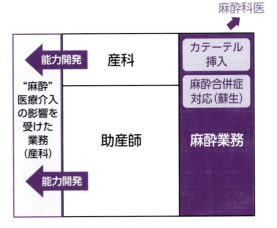

参考文献
1) Mohaghegh Z, Abedi P, Faal S, et al: The effect of hyoscine n-butylbromide on labor progress: A systematic review. BMC Pregnancy Childbirth 2020; 20: 291.

Chapter 62 麻酔の産道への影響は？ ②回旋異常

Point

- ☑ 無痛分娩によって軟産道が弛緩することで，児頭の第2回旋異常（後方後頭位，低在横定位）の頻度が高まる。
- ☑ 回旋異常は突発痛（BTP）の原因となり，薬剤投与（レスキュー）でも鎮痛できないことがある点も認識しておく。
- ☑ 回旋異常の際には，子宮収縮薬の投与や器械分娩などの産科的医療介入が必要である。

無痛分娩と回旋異常

　無痛分娩によって軟産道が弛緩することで，児頭の第2回旋異常（後方後頭位，低在横定位）の頻度が高まることが危惧される（図1）[1, 2]。しかし，分離神経遮断を応用した現在の低濃度局所麻酔薬による無痛分娩では，回旋異常をきたしにくくなっている[3]。これは，高濃度の局所麻酔薬に比べて，軟産道の弛緩と娩出力の低下がマイルドであるからだと考えられる。オンデマンド（24時間体制）無痛分娩では，回旋異常の頻度は増加しにくい。

　一方，日本の無痛分娩で大半を占める計画無痛分娩のように分娩誘発を行う場合では，児頭の第2回旋異常（後方後頭位，低在横定位）の頻度が高まるため，これらに留意する必要がある。また，回旋異常は突発痛（BTP）の原因となり，薬剤の追加投与（レスキュー）でも鎮痛できないことがある点も認識しておく。

> **分娩誘発**
> 陣痛発来前に子宮収縮薬などを用いて分娩へ向かわせること。
>
> **分娩促進**
> 陣痛発来後，有効陣痛ではなくなった場合に，子宮収縮薬などを用いて分娩へ向かわせること。
>
> Chapter 6
> ⇨p.12参照
> ⇨Column参照
>
> Chapter 12
> ⇨p.24参照
>
> Chapter 53, 54
> ⇨p.106〜参照

Memo

回旋異常
胎児は通常，最小周囲径で産道を通過し娩出される。この分娩の進行過程において，何らかの原因により児頭が正常な回旋をとらない場合を回旋異常という。回旋異常が起こると，分娩の遷延や停止をきたしやすくなる。

● Column ●

回旋異常の原因
回旋異常の原因は明らかになっていない。しかし，産科学と麻酔科学を総合すると，軟産道の弛緩と娩出力の低下の両方が絡んでいることが推測される。これは，速やかに続発性微弱陣痛と診断し，子宮収縮薬を開始した症例では，回旋異常をきたしにくいという経験から多くの無痛分娩管理者が認識している。ただし，これはオンデマンド（24時間体制）無痛分娩でのことで，計画無痛分娩ではわからない。

回旋異常への対応

回旋異常が起こると,分娩の遷延や停止をきたしやすい。さらには,無痛分娩によって微弱陣痛も起こしやすいため,分娩時間の延長をきたしやすくなる。この場合,何かしらの対応をとらなければならない。最初に選択されるのは,**子宮収縮薬（アトニン®）の投与**である。さらに,低濃度の局所麻酔薬の使用ということもあり,四つん這いなどの**母体の体位変換**を組み合わせる施設も多い。また,分娩第2期遷延で経腟分娩が可能なところまで児頭が下降していれば,**器械分娩**も選択されうる。分娩早期からの積極的な用手回旋も有用である[4]。したがって,**子宮収縮薬の投与や器械分娩は,無痛分娩を行ううえで必須の産科的医療介入**といえよう（表1）。

Chapter 59
⇨ p.118参照

図1　回旋異常の際の内診所見の模式図

後方後頭位
胎児後頭部が母体の後方に向かって回旋,すなわち先進部の小泉門が後方に回旋したもの。大泉門が共進している場合は,前方前頭位。

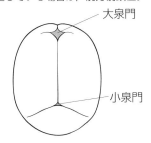

低在横定位
児頭が下降しても矢状縫合が骨盤横径に一致したままの状態で変化しない状態。

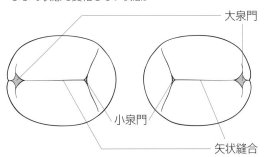

表1　無痛分娩で起こりやすい回旋異常とその対応

回旋異常の種類	対応	回旋異常のままでの分娩方法
後方後頭位	四つん這い	鉗子分娩,吸引分娩
	用手回旋	帝王切開
低在横定位	子宮収縮薬	帝王切開
	側臥位	キーラン鉗子,吸引分娩

参考文献

1) Lieberman E, Davidson K, Lee-Parritz A, et al: Changes in fetal position during labor and their association with epidural analgesia. Obstet Gynecol 2005; 105: 974-82.
2) Menichini D, Mazzaro N, Minniti S, et al: Fetal head malposition and epidural analgesia in labor: a case-control study. J Matern Fetal Neonatal Med 2021; 1-10.
3) Okada H, Amano K, Okutomi T, et al: Association between intrapartum fetal head malrotation and motor block by neuraxial analgesia: a randomized trial. Can J Anaesth 2014; 61: 1132-3.
4) Blanc J, Castel P, Mauviel F, et al: Prophylactic manual rotation of occiput posteriot and transverse positions to decrease operative delivery: the PROPOP randomized clinical trial. Am J Obstet Gynecol 2021; 225: P444E1-8.

Chapter 63　無痛分娩で帝王切開率は増加するか？

Point

- ☑ オンデマンド（24時間体制）無痛分娩において，一般的に帝王切開率は増加しない。
- ☑ 鎮痛法と陣痛起点の組み合わせごとに，無痛分娩の帝王切開率を検討する必要がある。
- ☑ 麻酔によって影響を受けた分娩に対して適切な産科医療介入を行わなければ，帝王切開率が増加する可能性がある。

無痛分娩と帝王切開率

　海外の報告では，**無痛分娩では器械分娩率が増加するが，帝王切開率は増加しない**といわれている。ただし，これは欧米のオンデマンド無痛分娩での研究報告であり，オピオイドを併用しない高濃度局所麻酔薬で無痛分娩を管理している一部の施設や計画無痛分娩を行っている施設では，異なった結果になるかもしれない。また，**突発痛（BTP）が何度も起こるような無痛分娩では，分娩の進行に問題（特に回旋異常）があり，帝王切開率を増加させてしまう可能性がある**。

Chapter 62
⇨p.124参照

Chapter 12
⇨p.24参照

Chapter 53～55
⇨p.106～参照

BTP；breakthrough pain

鎮痛法と陣痛起点の組み合わせと帝王切開率

　無痛分娩は，鎮痛法と陣痛起点の組み合わせによって分類される（*Chapter 11*参照）。鎮痛法と陣痛起点それぞれの違いによっても帝王切開率に影響を与えうる（図1，表1）。

　鎮痛法としては，硬膜外麻酔による無痛分娩とCSEAによる無痛分娩では帝王切開率に差を認められない。DPE techniqueによる無痛分娩では確認されていないが，硬膜外麻酔とCSEAの間の鎮痛法であるため，帝王切開率が増加するとは考えにくい。

　陣痛起点では，欧米からの報告では，オンデマンド（24時間体制）と計画無痛分娩を分けて報告していない。特に，**初産で妊娠週数が早く，頸管熟化が良くない状態での計画無痛分娩では，帝王切開率の増加が懸念されている**。これは，産科管理とも複雑にかかわってくる。

　いずれにせよ，わが国の無痛分娩は，施設ごとの"鎮痛法と陣痛起点の組み合わせ"と帝王切開率を対比させて示していかねばならないと考える。

CSEA；combined spinal-epidural anesthesia

Chapter 37～39
⇨p.74～参照

DPE；dural puncture epidural
⇨Column参照

Column

産科管理と帝王切開率

無痛分娩は，麻酔が分娩に影響を与え，分娩が変化する。そのため，分娩の変化に対して産科的医療介入が必要となる。この産科的医療介入が速やかに行われなければ，分娩のアウトカム（器械分娩率や帝王切開率）に影響を及ぼすであろう。一言で"無痛分娩"と表されるこの医療行為は，分娩と麻酔の絡み合った複雑なものであることを理解して臨みたい。

図1 無痛分娩と陣痛起点の組み合わせ

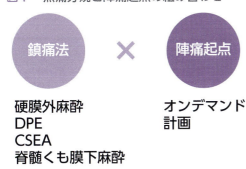

鎮痛法
硬膜外麻酔
DPE
CSEA
脊髄くも膜下麻酔

陣痛起点
オンデマンド
計画

表1 鎮痛法と陣痛起点の組み合わせと帝王切開率

		陣痛起点	
		オンデマンド（24時間対応）無痛分娩	計画無痛分娩
鎮痛法	硬膜外麻酔	不変	増加？
	DPE technique	不変	増加？
	CSEA	不変	増加？
	脊髄くも膜下麻酔	不変＊	

＊脊髄くも膜下麻酔は児娩出直前に選択するため

参考文献

1) Anim-Somuah M, Smyth RM, Cyna AM, et al: Epidural versus no-epidural or no analgesia for pain management in labour. Cochrane Database Syst Reve 2018; 5: CD00331.

Chapter 64

無痛分娩から帝王切開へ移行するときの麻酔はどうする？ ①選択編

Point

- ☑ 無痛分娩で使用しているカテーテルをそのまま帝王切開の麻酔に利用するかどうかは，その「カテーテルの信頼性」の評価が前提となる。
- ☑ 麻酔法の選択では，まずは帝王切開の緊急度を明確にしたうえで，「カテーテルの信頼性」などの要素を考慮し検討する。
- ☑ 妊婦に対しての全身麻酔は危険であるため，それを回避する取り組みを行っておくことが望ましい。

カテーテルの信頼性の評価

無痛分娩中，突発痛（BTP）が複数回起こる場合や麻酔範囲がT10～Sをカバーできないことが頻発する場合は，硬膜外カテーテルをそのまま利用して帝王切開の麻酔を行うことは難しい。その頻度は約10％と報告され，他の麻酔法への変更（最悪の場合，執刀後の全身麻酔）を余儀なくされる[1]。

Chapter 53, 54
⇨ p.106, 108参照

BTP ; breakthrough pain

> **Memo**
> **鎮痛効果の評価**
> 計画無痛分娩などで有効陣痛かどうか判断できない場合や児頭骨盤不均衡（CPD）で児頭が浮いているような場合では，適切な鎮痛効果の評価はできない。そのカテーテルの信頼性（*Chapter 54* Column 参照）の評価自体ができないことになる。

CPD ; cephalopelvic disproportion

麻酔法の選択（図1）

無痛分娩から帝王切開へ移行（コンバージョン）する際の麻酔法の選択では，帝王切開の緊急度とカテーテルの信頼性が大きくかかわってくる。

Chapter 54
⇨ p.108参照

緊急度が高い場合，例えば臍帯脱出などの"超緊急"とよばれる状況では，カテーテルの信頼性が確保されていればカテーテルをそのまま利用した硬膜外麻酔を選択することも可能となる。しかし，**カテーテルの信頼性があるとはいえない場合は，全身麻酔（あるいは全身麻酔の準備を進めながらの脊髄くも膜下麻酔；RSS）を選択すべき**であろう[2]。この場合の麻酔は，"手術が可能な麻酔"を意味する。

RSS ; rapid sequence spinal

一方，緊急度が高くない場合は，カテーテルの信頼性以外にもさまざまな要素を考慮する必要がある。例えば，施設による制約や麻酔科医の存在，さらには無痛分娩による硬膜外腔の変化などの要素が絡み合うこ

とになる。この場合の麻酔は，"患者が快適な麻酔"かどうかという基準も含まれてくる。

● Column ●

妊婦の全身麻酔の危険性

全身麻酔で帝王切開を受けた妊婦の死亡率は，脊髄幹麻酔（硬膜外麻酔や脊髄くも膜下麻酔）で受けた場合の16.7倍だと報告された[3]。それ以降さまざまな取り組みがなされ，現在1.7倍まで低下している[4]。だからといって，安易に全身麻酔を選択していいというわけではなく，妊婦に対しては全身麻酔を回避する取り組みを行うことが望ましい。

例えば，気道確保困難が予測される妊婦には，無痛分娩を積極的に行い，緊急帝王切開時に硬膜外カテーテルからの投薬によって帝王切開の麻酔を行えるようにするなどの取り組みがある。

図1 無痛分娩から帝王切開に移行する際の麻酔法の選択フローチャート

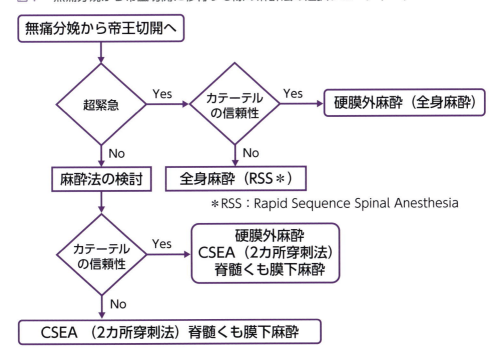

＊RSS：Rapid Sequence Spinal Anesthesia

参考文献

1) Mankowitz SKW, Fiol AG, Smiley R: Failure to Extend Epidural Labor Analgesia for Cesarean Delivery Anesthesia: A Focused Review. Anesth Analg 2016; 123: 1174-80.
2) Agegnehu AF, Gebregzi AH, Endalew NS: Review of evidences for management of rapid sequence spinal anesthesia for category one cesarean section, in resource limiting setting. Int J Surg Open 2020; 26: 101-5.
3) Hawkins JL, Koonin LM, Palmer SK, et al: Anesthesia-related Deaths during Obstetric Delivery in the United States, 1979-1990. Anesthesiology 1997; 86: 277-84.
4) Hawkins JL, Chang J, Palmer SK, et al: Anesthesia-related maternal mortality in the United States: 1979-2002. Obstet Gynercol 2011; 117: 69-74.

Chapter 65

無痛分娩から帝王切開へ移行するときの麻酔は？ ②実践編

Point

- ☑ 無痛分娩によって硬膜外周辺にはさまざまな変化が起きることを理解して，麻酔を実施する必要がある。
- ☑ カテーテルの信頼性が確認できた場合には，そのままカテーテルを利用し約10分で手術可能な麻酔状態を得ることができる。
- ☑ 無痛分娩では脊髄くも膜下麻酔の難易度が上昇するため，さまざまな工夫が行われている。

無痛分娩による硬膜外周辺の変化

無痛分娩によって硬膜外周辺にはさまざまな変化が起きると考えられる。

まず，硬膜外腔へ大量の無痛カクテル（局所麻酔薬とオピオイド）が投与されることによって，硬膜外腔は広がることは容易に想像できる。それにより，全周囲を硬膜外腔に囲まれた脊髄くも膜下腔は相対的に狭小化することになる（図1）。

また，DPE techniqueやCSEAでは，"硬膜に小さな穴を開けた"状態をつくることになる。そのため，その穴から硬膜外腔に髄液が漏出し，脊髄くも膜下腔の狭小化が進むことが予想される。さらに，脊髄くも膜下麻酔の際に，硬膜は穿刺針が貫通するための張力を維持できなくなるのではないかと考えられる（図2）。

Chapter 37
⇨ p.74参照

Chapter 40
⇨ p.80参照

Chapter 38, 39
⇨ p.76 ～参照

DPE；dural puncture epidural

CSEA；combined spinal-epidural anesthesia

Chapter 40
⇨ p.80参照

それぞれの麻酔法のピットフォール

● 硬膜外麻酔

カテーテルの信頼性が確認できた場合には，カテーテルより2％キシロカイン®10～20mLと8.4％メイロン®1～2mLの混合液を2～4回に分けて投与すると，約10分で手術可能な麻酔状態（麻酔範囲が頭側でT4付近まで上昇する）を得ることができる[1]。ただし，キシロカイン®の効果は30分程度で減弱していくので，適宜局所麻酔薬やオピオイドを追加投与する必要がある。このとき，0.375％アナペイン®10mLとフェンタニル®2mLの混合液を準備しておくと便利である。

Chapter 54, 64
⇨ p.108, 128参照

● 脊髄くも膜下麻酔

無痛分娩によって脊髄くも膜下腔が相対的に狭小化し，さらにCSEAやDPE techniqueなどで硬膜に小さな穴が開いている場合，脊髄くも膜下麻酔の難易度は上昇する（*Chapter 40*のColumn参照）。脊麻針がう

まく脊髄くも膜下腔に到達できたとしても高位脊髄くも膜下麻酔になりやすいため，投与量を減量（0.5％高比重マーカイン®1.2〜1.6mL程度）したり，注入速度をゆっくりしたりする工夫が行われている。

CSEA（2カ所穿刺法）

先に，下部胸椎（T12-L1）に硬膜外カテーテルを挿入し，脊髄くも膜下麻酔をトライする。このとき，脊髄くも膜下麻酔が困難だったとしても，下部胸椎からの硬膜外麻酔によって帝王切開の麻酔が提供できる。

Column

硬膜に小さな穴が開いた状態（DPE状態）の功罪

無痛分娩で使用していたカテーテルをそのまま利用して帝王切開の麻酔を行う場合，DPE状態のほうがそうでない状態に比べて麻酔が効果的になりやすいと考えられる。逆に，DPE状態では硬膜の張力が弱くなっており，脊麻針が硬膜を貫通して脊髄くも膜下腔へ到達することが難しくなることもしばしば経験する。カテーテルの信頼性が獲得しやすいが，もし獲得できなかった場合に脊髄くも膜下麻酔の難易度が上昇するという"諸刃の剣"という認識も重要であると筆者は考える。

図1　無痛分娩中の硬膜外腔と脊髄くも膜下腔の関係

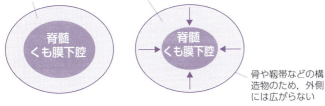

図2　硬膜の張力

a：通常は硬膜が張力を保っている。

b：DPE techniqueやCSEAによる無痛分娩では，"硬膜に開いた穴"からの髄液の漏出と硬膜外腔への無痛カクテルの注入により，硬膜の張力が維持できない。

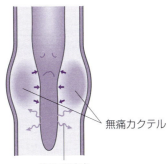

参考文献

1) Allam J, Malhotra S, Hemingway C, et al: Epidural lidocaine-bicarbonate-adrenaline vs. levobupivacaine for emergency Caesarean section: a randomised controlled traial. Anaesthesia 2008; 63: 243-9.

Chapter 66 産科危機的出血になったらどう対応する？ ショック総論

Point

- ☑ 分娩を取り扱う以上,『産科危機的出血への対応指針2022』を熟知しておく。
- ☑ 産科危機的出血は,妊産婦死亡の主要な原因の一つである。
- ☑ 血算の結果を待たずとも,ショックインデックスで方針を立ててよい。

産科危機的出血と妊産婦死亡

産科では予期せぬ大量出血が起こり,また大量の出血ではなくても産科DICを併発しやすいという特徴がある。そして,出血は依然として母体死亡の主要な原因となっている。生命を脅かすような分娩時あるいは分娩後の出血は,300人に1人に起こる。そのため,2010年に『産科危機的出血への対応ガイドライン』が策定され,時代の変化とともに改訂され,現在では『産科危機的出血への対応指針2022』が発表されている(図1)。今回新たに付け加えられたことにフィブリノゲン150mg/dL以下単独でも産科危機的出血と診断できること,トラネキサム酸投与の推奨がある。最近では迅速にフィブリノゲン値を測定できる装置も普及している(図2)。

分娩時の出血量が多く,ショックインデックス(SI)が1.0を超えた場合,分娩時異常出血として対応する。

実際,さまざまな取り組みによって妊産婦死亡は減少傾向にあり,産科危機的出血に伴うものは半減している。しかし,**産科危機的出血は妊産婦死亡の原因の4分の1**であり,単独の病態としては**羊水塞栓症子宮型**が最多である。

ショックインデックス(SI)
=心拍数／収縮期血圧

Chapter 70
⇨p.140参照

分娩周辺期に起こるショック

ショックは,「生体に対する侵襲あるいは侵襲に対する生体反応の結果,重要臓器の血流が維持できなくなり,細胞の代謝障害や臓器障害が起こり,生命の危機に至る急性の症候群」と定義され,分娩周辺期にもいくつかのショックが起こる。

大量出血によって循環血液量が減少すると,頻脈を伴う低血圧が起こり,対応が遅れると出血性ショックに至る。このとき,ヘモグロビン(血色素)を失っているため,顔面は蒼白となることが多い。

一方,アナフィラキシーショックでも同じく頻脈を伴う低血圧を呈する。しかし,血管拡張による相対的な循環血液量の減少が病態であるため,ヘモグロビンの喪失はなく,逆に顔面は紅潮することが多い。

Chapter 49
⇨p.98参照

図1 産科危機的出血への対応フローチャート

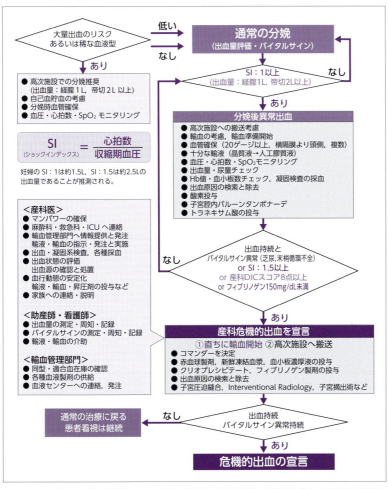

(日本産科婦人科学会,日本産婦人科医会,日本周産期・新生児医学会,日本麻酔科学会,日本輸血・細胞治療学会,日本IVR学会:産科危機的出血への対応指針2022より引用)

図2 FibCare

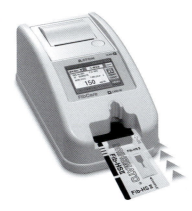

(アトムメディカル株式会社より提供)

参考文献

1) Ushida T, Kotani T, Imai K, et al: Shock Index and Postpartum Hemorrhage in Vaginal Deliveries: A Multicenter Retrospective Study. Shock 2021; 55: 332-7.

Chapter 67 無痛分娩中の子宮破裂にはどう対応する？

Point

- ☑ 子宮破裂には，子宮瘢痕破裂，自然子宮破裂，外傷性子宮破裂がある。
- ☑ 無痛分娩中は，適切に対処しないと子宮破裂の発見が遅れる可能性がある。
- ☑ 突発痛（BTP）に対するレスキューに抵抗する場合や胎児心拍異常を呈する場合には，子宮破裂を鑑別する。

子宮破裂とは

　子宮破裂は，妊娠・分娩中に子宮体部の筋層が断裂する病態である。子宮筋層に瘢痕がある場合（既往子宮手術，既往帝王切開術など）に起こりやすい（子宮瘢痕破裂）。このような症例で無痛分娩導入後に微弱陣痛となり，子宮収縮薬を用いると，子宮破裂のリスクは上昇する。激しい腹痛と胎児心拍異常などの強烈な症状が起こり，急速にショックに至り診断される。また，超音波検査でも明らかな胎児部分の子宮外への脱出像として描出される場合もある。

　子宮破裂のなかでも，切迫症状がないまま進行する「無症候性子宮破裂」（silent rupture）など前駆症状がなく，妊娠中や分娩中に突然の症状出現を契機として診断されることもある。子宮筋層に瘢痕がない場合も，自然子宮破裂（原因不明）や外傷性子宮破裂（子宮に圧力がかかる状態）などがある（表1）。治療は，緊急の開腹術を行い，その回復所見と母体のショックおよび凝固障害（DIC）の状態によって決まる。

Chapter 59 ⇨p.118参照

DIC；disseminated intravascular coagulation

無痛分娩と子宮破裂

　無痛分娩中は，子宮破裂の初期症状であるはずの痛みが麻酔によってマスクされ，発見が遅れる可能性がある。特に高濃度の局所麻酔薬を使用している場合では，注意が必要である[1]．しかし，最近の無痛分娩で用いられる代表的な局所麻酔薬濃度では，子宮破裂時の激痛まではマスクしきれない。事実，米国産科婦人科学会では，子宮破裂リスクの高い帝王切開後経腟分娩において無痛分娩の併用は推奨されている[2]。一方，無痛分娩中でも胎児心拍異常により子宮破裂を発見できる可能性が高い。薬剤の追加投与（レスキュー）をしても突発痛（BTP）が緩和しきれず，かつ胎児心拍異常がある場合には，超音波検査を施行するとよい。

Chapter 54 ⇨p.108参照

BTP；breakthrough pain

● Column ●

子宮破裂の原因としての過強陣痛

外傷性子宮破裂（子宮に瘢痕はないが，物理的圧力をかけられて起こる子宮破裂）の原因として，**過強陣痛**が注目されている。無痛分娩において，麻酔は娩出力にさまざまな影響を与える（*Chapter 59, 60*）。これと鎮痛作用が重なるため，注意深く観察しなければ，過強陣痛などのリスクを発見できないかもしれない。

例えば，麻酔導入時では胎児一過性徐脈がない限り，子宮筋の頻収縮（あるいは過収縮）は見過ごされることもあるだろう。また，麻酔維持のタイミングでは，続発性微弱陣痛の診断により子宮収縮薬を投与することが多いが，このときも子宮収縮の回数や強度を意識して観察する必要がある。このように無痛分娩の安全性確保には，注意深い分娩の観察が必要になる。

表1 子宮破裂のタイプ

タイプ	原因（リスク）
子宮瘢痕破裂	既往子宮手術や既往帝王切開術等子宮に瘢痕がある場合，経産回数の多い妊産婦など
自然子宮破裂	自然発生。巨大児，多胎妊娠，胎位異常，回旋異常，児頭骨盤不均衡により分娩進行が妨げられたときなど
外傷性子宮破裂	急速な分娩進行，子宮収縮薬による過強陣痛，吸引分娩や鉗子分娩，クリステレル胎児圧出法，交通外傷など

● Column ●

無痛分娩とTOLAC

子宮筋層に瘢痕がある場合（既往子宮手術，既往帝王切開など）に経腟分娩をトライ（TOLAC）するかどうか，およびTOLAC中に子宮収縮薬を使用するかどうかは，無痛分娩を行うかどうかとは関係なく，その施設での方針によって決定されるべきである。

無痛分娩によって，それらの方針を変えないことが重要と考える。

参考文献

1) Rowbottom SJ, Tabrizian I: Epidural Analgesia and Uterine Rupture During Labour. Anaesth Intens Care 1994; 22: 79-80.
2) ACOG Practice Bulletin No. 205: Vaginal Birth After Cesarean Delivery. Obstet Gynecol 2019; 133: e110-27.

Chapter 68 無痛分娩中の常位胎盤早期剥離にはどう対応する？

Point

- ☑ 持続する激しい腹痛や胎児心拍数異常で常位胎盤早期剥離を疑い，超音波検査で胎盤後血腫を確認できれば常位胎盤早期剥離と診断される。
- ☑ 無痛分娩中は，適切に対処しないと常位胎盤早期剥離の発見が遅れる可能性がある。
- ☑ 常位胎盤早期剥離では，消費性凝固障害をきたすことが多い。

常位胎盤早期剥離とは

　常位胎盤早期剥離は，正常な位置にある胎盤（前置胎盤ではない）が児娩出前に子宮壁から剥離する原因不明の病態で，剥離面積に応じてその重症度が増していく。**子宮内胎児死亡や妊産婦死亡の原因にもなりうるため，重症化する前に急速遂娩など速やかな対応が必要となる。**常位胎盤早期剥離では，剥離面での持続的な内出血により子宮内圧が上昇し，**"板状硬"** という状態を呈する。**持続する激しい腹痛や胎児心拍異常で常位胎盤早期剥離を疑い，超音波検査で胎盤後血腫を確認できれば常位胎盤早期剥離と診断される。**ただし，超音波によって胎盤後血腫が認められなかったとしても，常位胎盤早期剥離は除外されない。具体的な治療は成書に譲るが，**消費性凝固障害（Column参照）が引き起こされれば，大量の輸血が必要となる。**治療方針決定の際には，産科DICスコア（表1）が非常に有用である。

● Column ●

希釈性凝固障害と消費性凝固障害

産科出血に伴う凝固障害は，大きく2つに分類される。1つは，大量の失血により凝固因子が減少し，その後の輸液により凝固因子が希釈された状態の凝固障害で，希釈性凝固障害と呼ばれる。もう1つは，基礎疾患（常位胎盤早期剥離や羊水塞栓症など）を背景に凝固が亢進し，凝固因子が消費されていく凝固障害で，消費性凝固障害と呼ばれる。また，産科DICでは早期より線溶系も障害される。

無痛分娩と常位胎盤早期剥離

　子宮破裂の場合（*Chapter 67*参照）と同様に，**無痛分娩中は常位胎盤早期剥離の初期症状である痛みがマスクされ，発見が遅れる可能性がある。**ただし，最近の無痛分娩で用いられる代表的な局所麻酔薬濃度では，腹痛はマスクできるかもしれないが，常位胎盤早期剥離であれば**板状硬**は

触診で確認でき，さらに胎児心拍数異常（特に基線細変動の消失）によって発見できる可能性が高い。**無痛分娩中はCTGモニタ所見だけでなく，触診による子宮収縮頻度と強度の確認が重要となる**。このような重篤な産科合併症を見逃さないためにも，低濃度の局所麻酔薬で管理できる無痛分娩を心がける。

表1　産科DICスコア

1. 基礎疾患	点数	2. 臨床症状	点数	3. 検査項目	点数
常位胎盤早期剥離（児生存）	5	急性腎不全（無尿）	4	FDP ≧ 10μg/mL	1
同上（児死亡）	4	同上（乏尿）	3	血小板数 ≦ 10万/mm^3	1
羊水塞栓症（急性肺性心）	4	急性呼吸不全（人工換気）	4	フィブリノゲン ≦ 150mg/dL	1
同上（人工換気）	3	同上（酸素療法）	1	PT ≧ 15秒	1
同上（補助呼吸）	2	臓器症状（心臓）	4	出血時間 ≧ 5分	1
同上（酸素療法）	1	同上（肝臓）	4	赤沈 ≦ 4mm/15分	1
DIC型後産期出血（低凝固）	4	同上（脳）	4	または ≦ 15mm/時	
同上（出血量2L以上）	3	同上（消化器）	4	その他の検査異常	1
同上（出血量1〜2L）	1	出血傾向	4	例：AT活性 ≦ 60%	
子癇	4	ショック（頻脈：≧ 100回/分）	1		
その他の基礎疾患	1	同上（低血圧 ≦ 90mmHg）	1		
		同上（冷汗）	1		
		同上（蒼白）	1		

（注）DICと確診するためには，13点中2点またはそれ以上の 検査成績スコア（「3 検査項目」で2点以上）が含まれる必要がある。

＊すべてを合算して8点以上となったら，DICとして治療を開始する。

真木正博, 寺尾俊彦, 池ノ上 克：産科DICスコア. 産婦治療 1985；50：119.
Kobayashi T: J Obstet Gynaecol Res 2014;40（6）:1500-6.
http://www.jsognh.jp/dic/

※産科DICスコアは，検査結果を待たずとも臨床症状等で早期に治療を開始するためのスコアであり，重症度や経過を判断するものではない。

参考文献

1) Rowbottom SJ, Tabrizian I: Epidural Analgesia and Uterine Rupture During Labour. Anaesth Intens Care 1994; 22: 79-80.
2) ACOG Practice Bulletin No. 205: Vaginal Birth After Cesarean Delivery. Obstet Gynecol 2019; 133: e110-27.

Chapter 69 無痛分娩でのピットフォールは？ 出血関連

Point

- ☑ 無痛分娩を通常の分娩と同じ診療行為として扱うと，思わぬ落とし穴"ピットフォール"に落ちてしまうことがある。
- ☑ 適切なタイミングで続発性微弱陣痛と診断し，子宮収縮薬の投与を開始しなければ，筋疲労からくる弛緩出血に至る可能性もある。
- ☑ 末梢血管の拡張と器械分娩による裂傷の拡大により，創部からの出血量が増加する可能性がある。

筆者が無痛分娩を始めたころ，なぜか帝王切開になる症例や輸血を要するような症例を多く経験した。もちろん，偶然のことで明らかな因果関係があるわけではない。今になって振り返ると，**これは無痛分娩を行っているにもかかわらず，通常のお産と同じ分娩管理（ルーチン）を続けた結果ではないかと考えられる**。このような思いがけない（エビデンスがない）ところで，足元をすくわれるようなことを，"ピットフォール"と筆者は呼んでいる。そのなかでも，弛緩出血と創部出血について述べる。

無痛分娩と弛緩出血 (図1)

無痛分娩では，麻酔による娩出力への影響により続発性微弱陣痛をきたすことが多い。**適切なタイミングで続発性微弱陣痛と診断し，子宮収縮薬の投与を開始しなければ，回旋異常や分娩第2期遷延をきたし，帝王切開になりやすくなる可能性がある**。

また，分娩第2期遷延を漫然と経過観察し続けることによって，筋疲労からくる出血性の病態，つまり弛緩出血に至る可能性もある。

このような産科的医療介入をタイムリーに行わない診療の是非は不明であり，臨床研究を組んでエビデンスをつくることも難しいだろう。しかしながら，微弱陣痛や分娩遷延への対応を速やかに行うことが望ましいと考える。

Chapter 59
⇨ p.118参照

Chapter 60
⇨ p.120参照

無痛分娩と創部出血 (図1)

無痛分娩によって末梢血管が拡張するため，会陰裂傷縫合時の創部からの出血量が増加する可能性がある。そして，無痛分娩では器械分娩率も増加するため，会陰裂傷が拡大する可能性があり，縫合術に時間を要することが容易に想像できる。このことによって，さらに創部からの出血量は増加すると考えられる。

また，肛門括約筋の弛緩により，第4度裂傷のリスクが上昇することも念頭に置いておく必要がある。特に助産師はこれらのことを踏まえ，無痛分娩時の会陰保護に対する認識をもつ必要があるだろう。

● Column ●

ルーチンと産科的医療介入

無痛分娩では，麻酔が分娩に影響を及ぼし分娩そのものを少なからず変化させるため，ルーチンにおいて見直す部分が出現する。ただし，ルーチンのなかにはこれまでの叡智が凝縮されているものもあり，表面的な見直しによって診療に不具合をきたす場合もある。無痛分娩では，その鎮痛法や陣痛起点などを含めた"クリニカル・セッティング"全体を考慮したルーチンの変更に取り組まなければならない。そうでなければ，その不具合だけを捉えて，「無痛分娩は危険だ！」となってしまいかねない。

図1　無痛分娩における出血関連のピットフォール

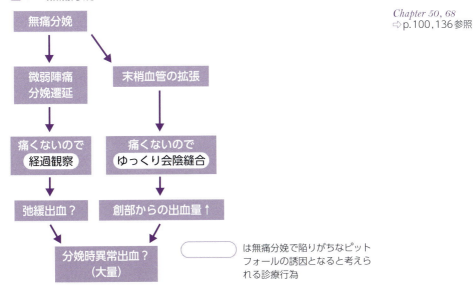

Chapter 50, 68
⇨ p.100, 136参照

参考文献

1) Guglielminotti J, Landau R, Daw J, et al: Use of Labor Neuraxial Analgesia for Vaginal Delivery and Severe Maternal Morbidity. JAMA Netw Open 2022; 5: e220137.

Chapter 70 羊水塞栓症が起こったら？

Point

- ☑ 羊水塞栓症は妊産婦死亡の中で最も多い病態で，その原因は胎児成分に対するアナフィラキシー様反応である。
- ☑ 心肺虚脱型では，速やかな集学的な治療が必要となる。
- ☑ 子宮型では著明な消費性凝固障害となり，大量のフィブリノゲン補充が必要となる。

羊水塞栓症とは

　羊水塞栓症（AFE）は，羊水成分が母体の血中に流入し，アナフィラキシー様反応を起こすことが原因と考えられている病態である。突然の心肺停止から始まる心肺虚脱型や著明な消費性凝固障害を主体とする子宮型があり，いずれも迅速に適切な治療を行わなければ致命的となる（図1）。

AFE；amniotic fluid embolism

　現状では無痛分娩と羊水塞栓症との間には明らかな因果関係はないが，羊水塞栓症は妊産婦死亡の原因として最も多いため，十分に気をつけておく必要があろう。

⇨Column参照

Column

無痛分娩と羊水塞栓症

妊産婦死亡症例の検討において，無痛分娩を行っていた症例に羊水塞栓症が多いのではないかという疑念が浮かび上がっている。無痛分娩ではさまざまな医療介入をしているため，その予後との因果関係が複雑になり，検証できないもどかしさがあるが，少なくとも無痛分娩が羊水塞栓症を増加させる明確な科学的根拠は示されていない。

羊水塞栓症の診断と治療

　確定診断は剖検により母体に胎児成分を確認することであるが，救命を目指している我々においては現実的ではない。そのため，**臨床的診断基準**が有用である（表1）。また，補助診断として，亜鉛コプロポルフィリンやSTNなどを母体血中に検出する**血清学的診断**がある。羊水塞栓症を疑ったら，治療と並行して母体の血液を採取し銀紙などで遮光し，浜松医科大学羊水塞栓症班に連絡する。筆者の経験では，初期段階で出現するアナフィラキシー特有の"不穏状態"が早期発見の鍵になることは言及しておきたい。

Chapter 49
⇨p.98参照

　治療としては，心肺虚脱型ではただちに気管挿管を行い，循環補助な

どの救命処置を行わなければ救命できない。一方，以前は原因不明の弛緩出血として扱われていた子宮型では，先行するDICに対しての治療が必要となる。この場合，消費性の凝固障害が起こっているため，速やかに大量のフィブリノゲンを補充することが重要となる。また，最近ではフィブリノゲン簡易測定器も普及しつつある。

DIC；disseminated intravascular coagulation

Chapter 67
⇒p.134図2参照

図1　羊水塞栓症の分類

心肺虚脱型
胎児成分による肺毛細血管の物理的塞栓と羊水成分に対するアナフィラキシー様反応による肺毛細血管の攣縮が原因と考えられる。

子宮型
胎便中の物質が母体血中に入り，さまざまなサイトカインが誘導され，DICが引き起こされると考えられる。

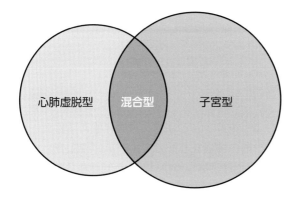

表1　羊水塞栓症の臨床的診断基準[1]

1	妊娠中または分娩後12時間以内に発症した場合
2	観察された所見や症状が他の疾患で説明出来ない場合
3	下記に示した症状・疾患（1つまたはそれ以上でも可）に対して集中的な医学治療が行われた場合
	a) 心停止
	b) 原因不明な1,500ml以上の大量出血
	c) DIC
	d) 呼吸不全

上記のうち，1と2を満たし，かつ3のa)〜d) うち1つを満たすもの

参考文献
1) 木村　聡, 大井豪一, 矢口千津子ほか：羊水塞栓症の新しい診断基準の提案. 日産婦新生児血会誌 2005；15：S57-8.

Chapter 71 児娩出時の助産師の役割は？

Point

- ☑ 無痛分娩における助産師の役割は重要かつ幅広いため，正しい知識をもって妊婦に説明することが望まれる。
- ☑ 分娩第2期もしっかりとした鎮痛を得るように努め，妊婦に怒責のタイミングを指導する。
- ☑ 無痛分娩では肛門括約筋が弛緩するため，注意深い会陰保護が必要になる。

無痛分娩における助産師の役割は，重要かつ多岐にわたる（表1）が，ここでは児娩出時に焦点を当てて述べる。

分娩第2期の助産管理

無痛分娩において，分娩第2期が遷延することはよく知られている。そのため，分娩第2期にPCAボタンを押さないように妊婦に勧める医療従事者がいる。**妊婦が分娩第2期の遷延を心配して，PCAボタンを押すことを躊躇している場合でも，助産師はしっかりとした知識から説明することが望ましい**。妊婦に寄り添い，最も信頼されている助産師だからこそ，聞き入れてもらえるのである。

そして，分娩第2期では児娩出までの時間を予測し，適切なタイミングで怒責を開始できるような助産管理が重要となる。ここで，**妊婦のサポートとしての重要な役割は，子宮収縮のピークしか感じることのできない妊婦に怒責のタイミングを指導することである**（図1）。

Chapter 60
⇨p.120参照

PCA；patient controlled analgesia

表1　無痛分娩期おける助産師の役割

妊娠・分娩経過	項目	詳細
妊婦健診	マザークラス	（医師による説明）
	バースプランの策定	Chapter 5
麻酔導入	麻酔開始時期の決定	Chapter 36
	体位保持	Chapter 19
分娩経過	モニタリング	母体バイタルやNRS、麻酔範囲
	無痛分娩経過の予測	内診所見など
	異常分娩の発見	CTGや内診などの総合評価
児娩出時	怒責のタイミング	（本文）
	会陰保護	（本文）
産後	産後ケア	産後痛，メンタルヘルスなど

無痛分娩特有の会陰保護

無痛分娩では，器械分娩率が増加することが知られている[1]。このとき問題となるのは，麻酔により多少は運動神経麻痺が起こっていることである。具体的には，**肛門括約筋の本来の力が入らず，器械分娩の際に裂傷が大きくなる可能性があることである。第3度裂傷や第4度裂傷になると，褥婦が麻酔効果消失後の創部痛に苦しむことになる。より注意深い会陰保護が必要になり**，助産師の腕の見せどころともいえよう。

● Column ●

助産師（産科医）は痛み情報の"伝書鳩"ではない

大学病院などの麻酔科医が常駐している施設では，麻酔科医によって無痛分娩の麻酔部分が管理され，麻酔情報を産科医や助産師が共有していないこともある。このような施設では，妊婦が痛みを感じても，その原因究明（内診や麻酔範囲の確認）を行うことなく，「患者さんが痛がってます。」という報告だけを受けることがある。NRSすら認識せずに管理されている場合もある。妊婦のバースプランをサポートする職能である産科医や助産師も，麻酔の部分の正しい知識がなければ，麻酔によって影響を受けた分娩の管理すらままならないのではないだろうか。痛みの伝書鳩になってはいけないのである。世界的にも無痛分娩中の助産師のかかわりについては議論され続けている[2]。

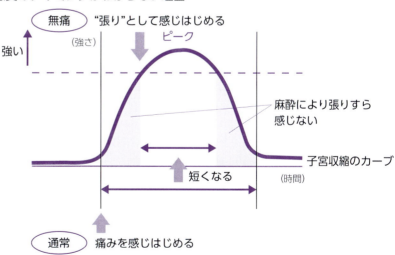

図1　無痛分娩中に怒責のタイミングがわからない理由

無痛分娩においては，陣痛を感じることがなく，子宮収縮のピークを"張り"として認識するだけである。そのため，助産師の指示に従って怒責をかけなければならない。

参考文献

1) Loewenberg-Weisband Y, Grisaru-Granovsky S, Ioscovich A, et al: Epidural analgesia and severe perineal tears: a literature review and large cohort study. J Matern Fetal Neonatal Med 2014; 27: 1864-9.
2) Colciago E, Fumagalli S, Inzis I, et al: Management of the second stage of labour in women with epidural analgesia: A qualitative study exploring Midwive's experiences in Northern Italy. Midwifery 2019; 78: 8-15.

Chapter 72 分娩後の管理はどうする？

Point

- ☑ 産後における無痛分娩の最大の利点は，会陰裂傷に対する会陰裂傷縫合術が痛くないことである。
- ☑ 産後のトラブルに対して侵襲的な処置が必要な際にも，疼痛を伴わずに行うことができる。
- ☑ 硬膜外カテーテルは帰室直前（産後2時間）に抜去することが多いが，出血傾向がある場合はカテーテルを抜去しない。

無痛分娩で出産した褥婦の特徴（表1）

　無痛分娩で出産した褥婦は，そうでない褥婦とは違う特徴を有する。
　産後における無痛分娩の最大に利点は，会陰裂傷に対する会陰裂傷縫合術の際にもちゃんと鎮痛されていることである。例えば，腟壁裂傷の深部を縫合するような場合，この鎮痛された状態は視野の確保と褥婦の不動を得るためには非常に有用である。ただし，あまりにもゆっくり縫合し続けると出血量が多くなる可能性がある。

Chapter 69
⇒p.138参照

　また，胎盤遺残や子宮内反症が起こった場合でも，疼痛を伴わないため，速やかに用手的操作に移行することができる（図1）。
　一方，無痛分娩の欠点としては，その合併症が挙げられる。特にPDPHは母児関係にも支障をきたす病態のため[1]，その対応など習熟しておく必要がある。

Chapter 73～76
⇒p.146～参照

表1　無痛分娩で出産した褥婦の特徴

	産後の時期		
	分娩直後	帰室前	産後24時間以降
メリット	用手的操作 　胎盤遺残 　子宮内反症 縫合時の視野確保と不動化 　会陰裂傷 　腟壁裂傷 　頸管裂傷	血腫除去・再縫合 　会陰血腫 　腟壁血腫	疲労度が低い
デメリット	運動神経麻痺 感覚神経麻痺	―	PDPH 排尿障害 神経麻痺（硬膜外血腫など）

硬膜外カテーテルの抜去

　無痛分娩に使用したカテーテルは，分娩フロアから帰室する前（産後2時間が目安）に，会陰や腟壁に血腫がないことを確認して抜去する。これは，血腫除去や再縫合などの処置に対して，このカテーテルを利用して麻酔を行うことができるからである。

　実際のカテーテル抜去の際は，ゆっくりと引き抜き，抵抗があれば無理をせずに挿入時と同じ体勢をとり，やり直すことが望ましい。**抜去がスムーズで，カテーテルの先端がある（切断されていない）ことを確認する**。万が一，カテーテルの一部が体内に遺残してしまった場合でも，症状がなければ経過観察になることが多い[2]。しかし，高次医療機関の脊椎を担当する部門にコンサルトしておくことを筆者はお勧めする。

　また，産科危機的出血にならないまでも**出血傾向があるような場合には，カテーテルを抜去せずに留置したままにしておく。カテーテルの挿入時だけでなく抜去時にも硬膜外腔内で血管を破綻させることがある**ため，硬膜外血腫のリスク回避のために凝固能が正常化してからのカテーテル抜去が望ましい。ただし，妊産婦は凝固能が亢進しており，硬膜外血腫のリスクは低い[3]。

図1　胎盤用手剥離
無痛分娩ではこのような侵襲的処置に対しても鎮痛効果が得られており，速やかな治療へ移行できる。

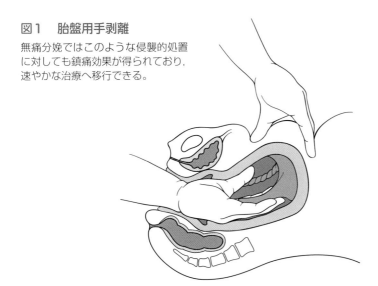

参考文献

1) Orbach-Zinger S, Eidelman LA, Livne MY, et al: Long-term psychological and physical outcomes of women after postdural puncture headache: A retrospective, cohort study. Eur J Anaesthesiolg 2021; 38: 130-7.
2) Fragneto RY: The broken epidural catheter: an anesthesiologist's dilemma. J Clin Anesth 2007; 19: 243-4.
3) Ruppen W, Derry S, McQuay H, et al: Incidence of epidural hematoma, infection, and neurologic injury in obstetric patients with epidural analgesia/anesthesia. Anesthesiology 2006; 105: 394-9.

Chapter 73 PDPHが起こったらどうする？ ① 発生機序

Point

- ☑ PDPHとは，針で硬膜を破ったことにより引き起こされる体位依存性の頭痛である。
- ☑ 針が太いほうが，PDPHの発生頻度や重症度が高まる。
- ☑ 針先端の種類により，PDPHの発生頻度や重症度が変化する。（Quincke針＞ペンシルポイント針）

PDPH（硬膜穿刺後頭痛）とは

硬膜外麻酔の際に偶発的に硬膜を穿刺して破った（UDP）後に起こる頭痛，あるいは脊髄くも膜下麻酔後に起こる頭痛をPDPHという。**硬膜外麻酔の際には，硬膜を破った感覚が明らかでなくても起こりうる**。基本的には，体位依存性の特徴的な症状を呈し，頭蓋内病変の除外された状態である。

頭痛が起こるメカニズム

硬膜に穴が開くと髄液が硬膜外腔に流出し，硬膜に包まれた脊髄くも膜下腔や頭蓋内圧が減少する。この低圧状態を代償するために，頭蓋内の血管が拡張し，結果として血管拡張性頭痛を呈する（図1）。

さらに頭蓋内圧が低下すると脳実質が下方へ牽引され，硬膜と脳実質を繋ぐ橋静脈が破綻し，頭蓋内硬膜外出血に至ることがある[1]。

針の太さや種類とPDPHの発生頻度

上記メカニズムにより，針の大きさや種類によって髄液の硬膜外腔への流出量が変わるため，PDPHの発生頻度も変化する。

脊髄くも膜下麻酔においては，細い脊麻針（25～27G）を用いるため，PDPHの発生頻度は1～2％程度で，その症状も軽症である。一方，**硬膜外針で硬膜を穿刺してしまった場合では，針が太い（16～18G）ため，50％以上の確率でPDPHを発症し，その症状も重症となりやすい**。

また，針の種類では，**ペンシルポイント針**を用いると斜めにカッティングされたQuincke針を用いる場合よりも，PDPHの発生頻度を抑えることができる[2]（表1）。

PDPH；post dural puncture headache
硬膜穿刺後頭痛
UDP；unintentional dural puncture

Chapter 74
⇨ p.148参照

Column

麻酔科学におけるPDPHの立ち位置

最近では，手術麻酔において硬膜外麻酔をあまり選択しない流れになってきている。特に欧米では，麻酔研修での硬膜外トレーニングは，産科麻酔（無痛分娩）で積むことになっている場合が多い。そのため，硬膜外麻酔の代表的合併症であるPDPHは産科麻酔分野にカテゴライズされている。実際，産後のPDPHは母児関係にも悪影響を及ぼす可能性があるため，産科領域ではPDPHに対して硬膜外自己血パッチ（EBP）を選択するハードルが低いことからも納得できるだろう。

EBP：epidural blood patch

Chapter 74
⇨ p.148参照

図1　PDPHの発生メカニズム

硬膜に空いた穴から髄液が流出し，髄液の減少分の陰圧が頭蓋内に発生する。その代償として，頭蓋内の血管拡張が起こり，血管拡張性の頭痛を呈する。

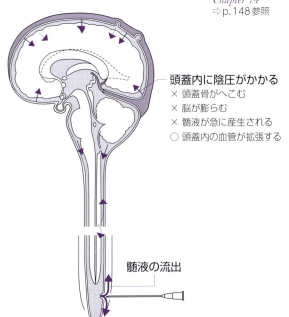

頭蓋内に陰圧がかかる
× 頭蓋骨がへこむ
× 脳が膨らむ
× 髄液が急に産生される
○ 頭蓋内の血管が拡張する

髄液の流出

表1　針の違いによるPDPHの発生頻度

	25G	27G
Quincke針	6.3%	2.9%
ペンシルポイント針	2.2%	1.7%

参考文献

1) Moore AR, Wieczorek PM, Carvalho JCA: Association Between Post-Dural Puncture Headache After Neuraxial Anesthesia in Childbirth and Intracranial Subdural Hematoma. JAMA Neurol 2020; 77: 65-72.2) Nath S, Koziarz A, Badhiwala JH, et al. Atramatic versus conventional lumbar puncture needles: a systematic review and meta-analysis. Lancet 2018; 391: 1197-1204.

Chapter 74

PDPHが起こったらどうする？
②診断

Point

- ☑ 低髄圧性の血管拡張性頭痛であるため，片頭痛に似た症状を呈するが，体位依存性という特徴がある。
- ☑ 硬膜外麻酔や脊髄くも膜下麻酔による穿刺のあとに体位依存性の頭痛がある場合は，PDPHを強く疑う。
- ☑ 頭蓋内病変を鑑別して，はじめてPDPHと診断できる。

PDPH；post dural puncture headache
硬膜穿刺後頭痛

PDPHの特徴

頭痛は前頭部から後頭部にかけて起こり，後頸部痛を伴うことも多い。**低髄圧性の血管拡張性頭痛であるため，片頭痛に似た症状を呈する**ことになる。しかし，**髄液が硬膜外腔へ流出しやすい立位や座位で症状が増悪し，臥位で軽快する**という特徴がある（体位依存性の頭痛）。

特に**産後は一般的な術後と違い，授乳のために座位をとる必要があり，症状が出現しやすい**。とりわけ母児関係に影響を及ぼすようであれば，速やかな治療を要する。

PDPHの診断

硬膜外麻酔や脊髄くも膜下麻酔による穿刺のあとに，立位あるいは座位になると約1〜2分で頭痛が出現・増強する。しかし，**臥位で軽快する（体位依存性の頭痛）ことが，他の頭痛と大きく違う点である**。その他の症状として，**悪心・嘔吐，複視，めまい，耳鳴り，聴力低下**などの視覚・聴覚症状を伴うことがある。通常，頭痛は穿刺後24時間以内に始まるが，まれに数日から数ヵ月後に発症することもある[1]。表1に分娩後の頭痛の鑑別すべき上位5つの原因とその割合を示した[2]。

また，穿刺後の頭痛がすべてPDPHではないことにも留意する必要がある。特にUDPとなってしまった場合は，頭蓋内出血との鑑別は非常に重要となる。これは，UDPによる髄液の流出の状況によっては，頭蓋内の血管が破綻し頭蓋内出血を引き起こすことがあるからである（図1）。

UDP；unitentional dural puncture

Column

UDPから頭蓋内出血を起こすリスクと坐位による穿刺

筆者が産科麻酔の研修を受けていたとき，指導医にいわれたことがある。
「UDPと思ったら，硬膜外針を速やかに抜去しなさい。なぜなら滝のような髄液の流出に見とれて，髄液が急速かつ大量に流出すると頭蓋内出血になることがあるからだ。」
特に，坐位で穿刺する場合は，重力の関係から髄液の流出は激しくなると考えられる。迷走神経反射への対応とUDPの際の頭蓋内出血のリスクと鑑みると，不慣れな坐位での穿刺のメリットは少ないのではないだろうか。

表1　分娩後頭痛

原因	発生割合
筋緊張性頭痛	39%
子癇	24%
PDPH	16%
偏頭痛	11%
脳出血，くも膜下出血	4%

図1　PDPHと頭蓋内出血時のイメージ

頭蓋内の陰圧により，血管が拡張するとPDPHの症状（血管拡張性頭痛）が出現する。しかし，陰圧の程度によっては，血管壁が破綻してしまうことがある。このようなメカニズムで頭蓋内出血をきたすことになる。
矢印の大きさが陰圧の大きさを示す。

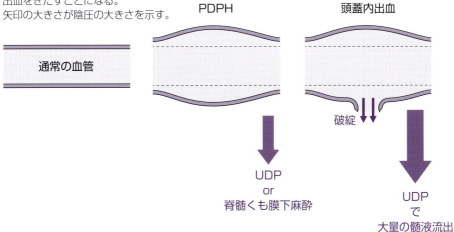

参考文献
1) Reamy BV: Post-epidural headache: how late can it occur? J Am Board Fam Med 2009; 22: 202-5.
2) Goldszmidt E, Kern R, Chaput A, et al: The incidence and etiology of postpartum headaches: a prospective cohort study. Can J Anaesth 2005; 52: 971-7.

Chapter 75 PDPHが起こったらどうする？ ③治療

Point

- ☑ PDPHへの対応はその重症度によって異なるが，特に授乳が辛い場合には積極的に治療する。
- ☑ 軽症の場合は，臥位安静と薬物療法が選択され，非ステロイド系消炎鎮痛薬，オピオイド鎮痛薬，またはカフェインを投与する。
- ☑ 重症の場合は，EBP（硬膜外自己血パッチ）の適応になる。

PDPHへの対応法

PDPHは症例ごとにその重症度が違う。一般的には**硬膜を穿刺した針の大きさと種類に関係し，特に針が太ければ症状も重症化しやすい**。実際，PDPHへの対応はその重症度によって異なり，経過観察から侵襲的治療まで幅がある。

無痛分娩（あるいは帝王切開）の場合は，特に授乳に対する辛さを治療すべきかどうかの判断基準にするとよい。産後早期の母児接触が苦痛を伴うものであることは望ましくないため，筆者は軽症であっても積極的に治療を行う方針である。帝王切開以外の手術麻酔でのUDP後にPDPHを発症した場合は，血栓症予防を行い臥位安静にしていれば症状が軽快していくこともあるが，**産後は座位での授乳があるため，症状が出現・悪化しやすい**。

PDPH ; post dural puncture headache

UDP ; unitentional dural puncture

> **Memo**
> **褥婦のメンタルケア**
> 何よりも重要なことは，幸せなはずの授乳に対して辛さを感じている不運な褥婦に，現在起こっている事象を丁寧に説明することであると筆者は考える。PDPHと長期的なメンタルの関連については，すでに報告されている[1]。

治療法の選択（図1，表1）

症状が軽い場合は，**まず臥位安静にして，鎮痛薬を投与する**。髄液産生の促すための水分補給という対応は，排尿のための立位・座位をとる時間が増え，不必要な頭痛を経験させるということにつながるため，最近では推奨されない[2]。

薬物療法としては，**非ステロイド系消炎鎮痛薬，オピオイド鎮痛薬，または血管収縮作用のあるカフェインを選択する**。非ステロイド系消炎鎮痛薬は，カロナール®やロキソニン®を投与することが多い。カフェインは経口投与後30分程度で最高血中濃度に達し，脳血液関門を通過

して頭蓋内に達し，脳血管を収縮させる。治療には300〜500mgを1日2回，経口投与または静脈内投与する。ただし，これら薬物療法はあまり効果的ではないとされている。

症状がはじめから重症な場合や薬物療法が無効だった場合には，侵襲的な治療が選択される。そのなかでも最も有効性の高い治療法とされているのが，**硬膜外自己血パッチ療法（EBP）**（*Chapter 76*参照）である。特に無痛分娩においては，授乳ができないという症例や外転神経麻痺が出現した症例も，EBPの適応となる[3]。

> **Memo**
> **翼口蓋神経節ブロック（経鼻）**
> PDPHの治療法に，局所麻酔薬によって経鼻的に翼口蓋神経節をブロックする方法が報告されている[4]。これは非侵襲的な治療法ではあるが，現時点では標準的な治療にはなっていない。

図1　PDPHへの対応法
産後は座位で行う授乳という行為があるため，EBPが選択されやすい。

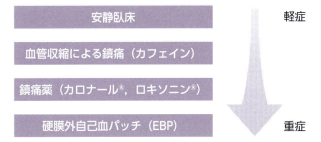

表1　PDPHの薬物療法

種類	投与量	注意点
安息香酸ナトリウムカフェイン®	300〜500mg 2回/日	大量投与で痙攣
カロナール®	400mg 定期 or 屯用	大量投与で肝機能障害
NSAIDs（ロキソニン®）	60mg 定期 or 屯用	胃潰瘍など

参考文献

1) Orbach-Zinger S, Eidelman LA, Livne MY, et al: Long-term psychological and physical outcomes of women after postdural puncture headache: A retrospective, cohort study. Eur J Anaesthesiolg 2021; 38: 130–7.
2) Patel R, Urits I, Orhurhu V, et al: A Comprehensive Update on the Treatment and Management of Postdural Puncture Headache. Curr Pain Headache Rep 2020; 24: 24.
3) Russell R, Laxton C. Lucas DN, et al: Treatment of obstetric post-dural puncture headahc. Part 2: epidural blood patch. Int J Obstet Anesth 2019; 38: 104–18.
4) Cohen S, Levin D, Mellender S, et al: Topical Sphenopalatine Ganglion Block Compared With Epidural Blood Patch for Postdural Puncture Headache Management in Postpartum Patients: A Retrospective Review. Reg Anesth Pain Med 2018; 43: 880–4.

Chapter 76 PDPHが起こったらどうする？ ④硬膜外自己血パッチ（EBP）

Point

- ☑ EBPは自分の血液を清潔な状態で硬膜外腔に注入し，脳脊髄圧を高めて頭痛を軽減させる治療法である。
- ☑ EBPは2人の術者が清潔野で協力しながら行う侵襲的治療法である。
- ☑ UDP後24時間以降に行い，UDPしたからといって予防的には行わない。

EBPの実際

硬膜外自己血パッチ（EBP）はPDPHの症状が強く，薬物療法で改善傾向にない場合に選択される。**硬膜外腔に無菌的に自己の血液を注入することで，脊髄くも膜下腔に圧をかけ，低髄圧性の頭痛を軽減させる治療法である**（図1）。UDP後24時間以上経過しているほうが効果的であるとされるため，直後には行わないのが一般的である。

図2に示すように，**EBPは2人の術者で協力して行うことになる**。EBPで硬膜外腔に注入する自己血の量は10〜20mL程度が推奨されている[1]。**注入中に痛みを感じたら，そこで注入を止める**。注入された血液はくも膜下腔を圧迫し，脳脊髄圧を上昇させて低髄圧性の頭痛を軽減させる。**硬膜に開いた穴を塞ぐ直接的な効果はないと考えられている**。EBPはPDPHの重症例にのみ選択されるため評価しにくいが，1回のEBPで70％以上，2回のEBPで90％以上が奏功するといわれている[2]。

EBP；epidural blood patch
PDPH；post dural puncture headache
UDP；unitentional dural puncture

Column

予防的EBP？

UDPは高率にPDPHを引き起こす可能性があるため，穿刺後すぐにEBPを施行して予防したくなる。しかし，24時間以内に予防的EBPを行ったときの奏効率は不完全有効を含めても29％と低い[3]。また，妊婦でのUDP後のEBPのタイミングは，穿刺後48時間以降がよいとする報告もある。

EBPのリスク

EBPの手技自体にもUDPのリスクがある。元々UDPしてしまうような難易度の高い妊婦であったために，PDPHに至っている場合もあるからである。**手技に習熟した術者（例えば，麻酔科医など）が行うことが望ましい**。また，まれにではあるが，癒着性くも膜下炎の報告もある[4]。

癒着性くも膜下炎
くも膜の炎症が神経繊維に干渉することによって，運動麻痺や感覚麻痺が起こる。注入した自己血が脊髄くも膜下腔で血腫を形成して引き起こすとされる。

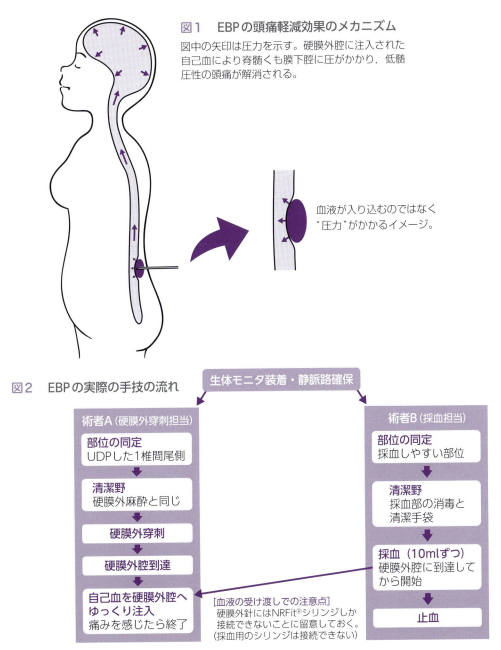

図1　EBPの頭痛軽減効果のメカニズム

図中の矢印は圧力を示す。硬膜外腔に注入された自己血により脊髄くも膜下腔に圧がかかり、低髄圧性の頭痛が解消される。

血液が入り込むのではなく"圧力"がかかるイメージ。

図2　EBPの実際の手技の流れ

生体モニタ装着・静脈路確保

術者A（硬膜外穿刺担当）
- 部位の同定　UDPした1椎間尾側
- 清潔野　硬膜外麻酔と同じ
- 硬膜外穿刺
- 硬膜外腔到達
- 自己血を硬膜外腔へゆっくり注入　痛みを感じたら終了

術者B（採血担当）
- 部位の同定　採血しやすい部位
- 清潔野　採血部の消毒と清潔手袋
- 採血（10mlずつ）　硬膜外腔に到達してから開始
- 止血

［血液の受け渡しでの注意点］
硬膜外針にはNRFit®シリンジしか接続できないことに留意しておく。（採血用のシリンジは接続できない）

参考文献

1) Paech MJ, Doherty DA, Christmas T, et al: The volume of blood for epidural blood patch in obstetrics: a randomized, blinded clinical trial. Anesth Analg 2011; 113: 126-33.
2) Safa-Tisseront V, Thormann F, Malassiné P, et al: Effectiveness of epidural blood patch in the management of post-dural puncture headache. Anesthesiology 2001; 95: 334-9.
3) Bradbury CL, Singh SI, Badder SR, et al: Prevention of post-dural puncture headache in parturients: a systematic review and meta-analysis. Acta Anaesthesiol Scand 2013; 57: 417-30.
4) Carswärd C, Darvish B, Tunelli J, et al: Chronic adhesive arachnoiditis after repeat epidural blood patch. Int J Obstet Anesth 2015; 24: 280-3.

Appendix 1

局所麻酔薬はどうやって効くのか？

局所麻酔薬の作用機序

　局所麻酔薬は，神経線維の細胞膜の内側からNaチャネル（Naイオンが細胞内への流入するための穴）を塞ぐ作用を有する。これによって，Naイオンの細胞内への流入が妨げられ，神経線維の膜表面の活動電位の発生を抑制し，痛み刺激の伝導電気信号を遮断する。また，局所麻酔薬はイオン型と非イオン型とに分かれて存在している（溶液のpHによってその割合が決まる）が，このうち非イオン型だけが細胞膜を通過することができ，細胞内で再びイオン型となりNaチャネルを塞ぐ。このような作用全体から，局所麻酔薬はNaチャネルブロッカーという薬剤に分類される。

図　局所麻酔薬の作用機序

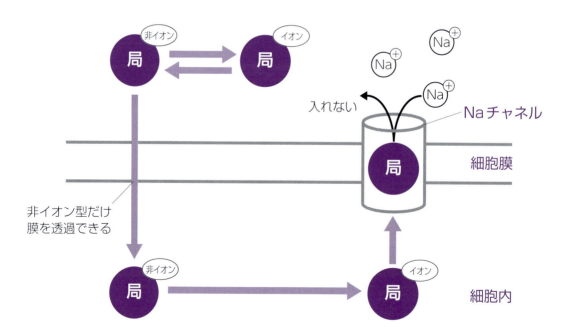

Appendix 2

痛みをとるということはどういうことなのか？

痛み刺激（侵害刺激）の伝達

痛みを伝える経路（痛覚伝導路）としては，末梢⇒脊髄⇒脳の順に伝達される。まず末梢の痛み刺激（①）によってプロスタグランジン（PG）やブラジキニンなどの痛み物質が産生され，末梢神経の先端にある神経終末（侵害受容器）が刺激される（②）と，その刺激は電気信号に変換され神経細胞（線維）を通って（③），硬膜外腔を通り脊髄後角➡延髄➡中脳➡視床➡大脳皮質へと痛みの情報が伝わる（④）。「痛みをとる」ためには，これらの経路のいずれかの伝達を妨げなければならない。

この電気信号に変換された伝達を，電位を産み出せなくして遮断するのが局所麻酔薬である。②の痛み物質はNSAIDsなどで産生を抑制する。一方，電気信号を遮断できなくても，脳に直接作用する薬剤を用いれば，痛みをとることはできる（全身麻酔）。

図　痛みをとるということ

痛み刺激が脳に伝わるまで，刺激は電気信号に変換されて伝えられる。
その電気信号を遮断（ブロック）するのが局所麻酔薬である。

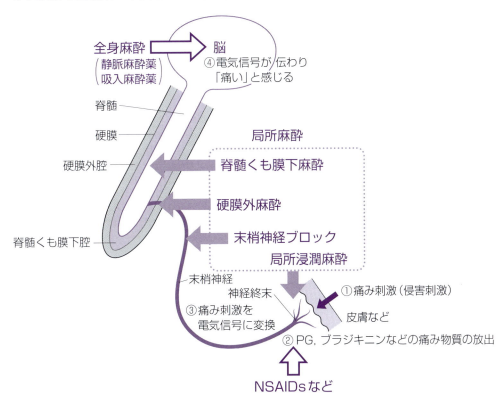

Appendix 3

運動神経ブロックの指標 (Modified Bromage Scale)

運動神経ブロック

　下肢の運動神経ブロックの程度を評価する指標として，Bromageスケールがある。Bromageスケールにはさまざまな亜型があり，数字の大小とブロックの程度が逆の場合もあり，混乱を招きやすい。そのため，数字が大きくなるにつれてブロックの程度が強くなる「Modified Bromage Scale」を採用する施設が多い。基本的には，Bromage 0以外は，要注意として管理すべきである。

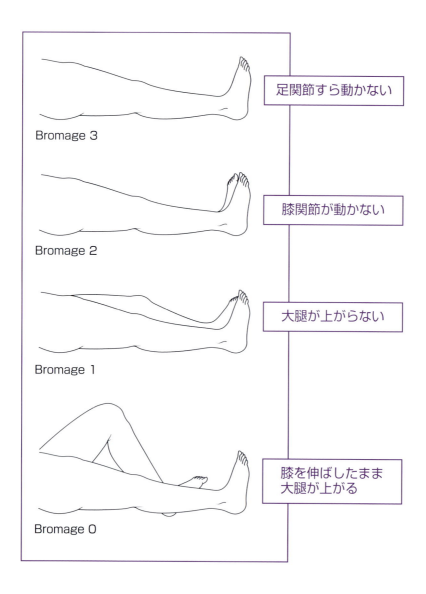

Appendix 4

無痛分娩と産後うつ，自閉スペクトラム症

無痛分娩と産後うつ

産後うつ（Postpartum Depression）は，正確には"産前・産後の抑うつ状態"の産後の部分だけを表した通称である。この産後うつは，自身の自殺や児への虐待のリスクが高くなる心配があり[1,2]，潜在的患者も含めると10〜20%と高いため，広く知られている。

無痛分娩と産後うつの関係については，さまざまな報告がある。以前より，分娩時の鎮痛によって産後うつの予防や重症化のリスク軽減効果が指摘され，特に脊髄幹麻酔（主に硬膜外麻酔）では，その効果は大きいとする報告がある[3]。これは，痛みを緩和させることを通じて，分娩の満足度が高まるからかもしれない。

無痛分娩と自閉スペクトラム症

自閉スペクトラム症（Autism Spectrum Disorder）は，正常な社会的関係を構築することができず，言葉の使い方に異常がみられるか，まったく言葉を使おうとせず，限定的な行動または反復行動がみられる病気である。

2020年に無痛分娩と自閉スペクトラム症との因果関係の可能性が示唆された[4]。ただし，無痛分娩が自閉スペクトラム症の原因となる生物学的に妥当な仮説が提示できないという問題点が指摘された。2021年にはその追試の報告[5]によっていったん否定されたが，今後の更なる追試が期待されている。

参考文献

1) Takeda S, Takeda J, Murakami K, et al: Annual Report of the Perinatal Committee. Japan Society of Obstetrics and Gynecology, 2015: Proposal of urgent measures to reduce maternal deaths. J Obstet Gynaecol Res 2017; 43: 5-7.
2) Gjerde LC, Eilertsen EM, Reichborn-Kjennerud T, et al: Maternal perinatal and concurrent depressive symptoms and child behavior problems: a sibling comparison study. J Child Psychol Psychiatry 2017; 58: 779-86.
3) Eisenach JC, Pan PH, Smiley R, et al: Severity of acute pain after childbirth, but not type of delivery, persistent pain and postpartum depression. Pain 2008; 140: 87-94.
4) Qiu C, Lin JC, Shi JM, et al: Association between epidural analgesia during labor and risk of autism spectrum disorders in offspring. JAMA pediatr 2020; 174: 1168-75.
5) Wall-Wieler E, Bateman BT, Hanlon-Dearman A, et al: Association of epidural analgesia with offspring risk of autism spectrum disorders. JAMA pediatr. 2021.

Appendix 5

説明同意書例（聖隷浜松病院）

麻酔の説明・同意書（無痛分娩）

麻酔の説明（無痛分娩）

無痛分娩を受ける場合は『麻酔』が必要です。
当院では背中および腰からの麻酔（硬膜外麻酔、脊髄くも膜下麻酔）などは十分な麻酔のトレーニングを受けた産婦人科あるいは麻酔を専門とする麻酔科メンバーが担当いたします※。
※麻酔科メンバーとは：日本麻酔学会認定の麻酔指導医、麻酔専門医を中心に臨床研修指定病院としての臨床研修医が修練をしており彼らを含めてグループで麻酔管理を行っています。

代表：

『 無痛分娩 』
1）無痛分娩とは麻酔を使用する分娩方法で、「痛みが無くなる」という結果ではなく、プロセスを表した言葉です。無痛分娩は、分娩全ての痛みを取り除くのではなく、最低限の痛みに抑えるものです。麻酔の効き方には個人差があります。代表的な麻酔法は硬膜外麻酔です。ただし、麻酔効果が不確実な場合や急を要する場合には、脊髄くも膜下麻酔を併用することがあります。

2）当院における無痛分娩は、麻酔科医のサポートにより産科（分娩）チームで対応しております。当院では計画分娩ではなく、陣痛が始まってから麻酔を開始するスタイル（オンマンド無痛分娩）で行なっておりますので、緊急時の対応も可能となっております。

『 麻酔を受ける方に守って頂きたいこと 』
1）術前の絶食と絶飲
麻酔の前には胃の中をなるべく空っぽにしていることが安全上重要です。
しかし、陣痛発来や破水はいつ起こるかわかりません。そのため、陣痛発来後から飲水のみ（水、ミルクの入っていないお茶、タンパク質（プロテイン）の入っていないスポーツドリンク、OS-1は可）とさせて頂きます。

2）既往歴の申し出
いままでに経験した、あるいは現在も治療中の病気は必ずお知らせ下さい。
とくに、麻酔や手術の経験は忘れずに申し出をおねがいします。

『 麻酔の種類について 』
【 硬膜外麻酔 】
無痛分娩においては、最も代表的な麻酔法です。脊柱（背骨）の骨の隙間から針を挿入し、硬膜外腔というところに直径1mm以下のカテーテル（管）を留置します。このカテーテル（管）から麻酔薬を入れることにより分娩の痛みを軽減します。麻酔開始後約30分で痛みが抑えられてきます。麻酔効果が不確実な場合には、このカテーテル（管）を入れ替えることがあります。

麻酔の説明・同意書（無痛分娩）

【 脊髄くも膜下麻酔 】
　腰のところにある脊柱の隙間から針を入れてくも膜下腔というところに麻酔薬を入れます。硬膜外麻酔よりもやや強い麻酔になります。1回だけの薬剤注入になりますので長時間沈痛には向きません。ただし、ほとんどの場合は硬膜外麻酔と併用します。

『 無痛分娩のメリット・デメリット 』
　無痛分娩も一般的な医療行為と同様にメリットとデメリットがあります。特にデメリットに対しては、臨機応変に対応して参ります。異常反応出現例および年間の全体的麻酔統計に関しては患者様の名前、生年月日、住所を除く臨床データを学会に届け出をしております。また、副作用や合併症といったデメリットとは別に、麻酔の分娩に及ぼす影響についても説明します。

【 無痛分娩のメリット 】
1) 　陣痛の軽減により落ち着いて分娩に臨むことができます。
2) 　分娩時のダメージが少なく、産後の回復が早くなることが多いです。

【 無痛分娩のデメリット 】
1) 　副作用
　　●血圧の低下
　　●かゆみ
　　●体温上昇
　　●産後の創部痛を強く感じる
2) 　合併症
　　●頭痛
　　●尿閉
　　●硬膜外血腫
　　●原因不明の神経障害
　　●多弁、興奮、耳鳴り、味覚障害（局所麻酔薬中毒）
　　●呼吸停止、心停止（全脊髄くも膜下麻酔など）

【 麻酔の分娩への影響 】
1) 　陣痛促進剤使用の増加（50〜80%）
2) 　分娩時間の延長（特に初産の場合）
3) 　鉗子分娩・吸引分娩の増加（10%）
4) 　帝王切開率への影響はありません

Appendix

麻酔の説明・同意書（無痛分娩）

麻酔同意書

患者氏名：　　　　　様　（ID：　　　　）

今回の無痛分娩でのあなたへの麻酔方法は以下を予定しております。
　□ 硬膜外麻酔　部位　（　胸部、腰部　）
　□ 脊髄くも膜下麻酔

私は上記の麻酔の必要性と危険性、及び、麻酔を受ける前の注意事項について「麻酔の説明（無痛分娩）」をもとに説明を致しました。

　　　　　　　西暦　　　年　　　月　　　日　　　時　　　分

　　　　　　　麻酔説明医_____

聖隷浜松病院 病院長 様

私は無痛分娩を受けるにあたり麻酔の必要性と危険性、及び、麻酔を受ける際の注意事項についての説明を受け、内容について十分に理解した上で麻酔を受けることに同意します。

　　　　　　　西暦　　　年　　　月　　　日　　　時　　　分

　　　　　　　　　　　　署名_____
　　　　　　　　　　　　署名者との続柄（　本人　・　　　　）

患者本人が署名できない理由（代筆理由）
□15歳未満　□重篤・意識障害　□ペンが持てない　□その他(　　　　　　　　　)

あとがき

　思い起こせば2017年4月に，「無痛分娩にかかわるすべての人の満足と安全に貢献する」という企業理念をかかげ，株式会社LA Solutions（無痛分娩コンサルティング業）を起業しました．あれから5年半が経ち，現在，日本の無痛分娩の約6.2%（年間5,000症例以上）をサポートするに至っています．

　本書「図表でわかる無痛分娩プラクティスガイド」の初版は2018年3月に上梓され，私が最初に書いた本になります．執筆当時は契約施設が1件のみで，そのノウハウのほとんどは国立成育医療センター（現・国立成育医療研究センター）や聖隷浜松病院での経験で得られたものでした．それでもメジカルビュー社編集部の浅見直博さんと二人三脚で作り上げた初版は，多くの皆様に手に取っていただきました．さらに2018年11月に日本産科麻酔学会の学術集会長を務めたことで信用が得られはじめ，初版は増刷を重ね，皆様に愛され続けて参りました．時を同じくして，コンサルティング事業も契約施設が少しずつ増加しはじめたという経緯です．

　ただ，すべてが順調だったわけではありません．何度も壁にぶつかっては，その都度なりふり構わずもがいていた記憶ばかりが思い出されます．そのような状況の私を垣間見て応援してくださる方々が現れ，徐々に事業として形になっていきました．その後，契約施設の増加と相まって年間3,000症例，4,000症例と症例数も急増していく中，私はそれらの症例のほとんどをチェックすることで，初版執筆時とは比べものにならないノウハウを蓄積したと感じはじめました．

　そして，いよいよ今度は私が恩返しする番だと思ったのです．4年間，無痛分娩の安全性が向上することばかりを考え取り組んできた無痛分娩コンサルティング業．そのすべてを注ぎ込んだものが，今手に取っていただいている改訂版です．

　私は，是非とも皆様に本書を熟読していただきたいと思っています．本書には必ずや新たな気づきがあり，皆様の明日の臨床を変える力があると信じています．今回，"完全時系列"などの目に見える特徴に加え，無痛分娩という医療行為の捉え方をゼロベースで考え直して再構成しています．旧版をお持ちの方も（お持ちの方にこそ）是非お手に取っていただきたいと思っています．

最後に，本書の制作にあたり，エビデンス監修を引き受けてくださった埼玉医科大学総合医療センター産科麻酔科准教授の松田祐典先生，出版社との交渉から産科監修をしてくださった聖隷浜松病院総合周産期母子医療センター産科部長・周産期センター長の村越　毅先生，そして，総合演出家として著者である私の良い部分を引き出し，モチベートし，本書の隅から隅まで一緒に読み合わせをしてくださったメジカルビュー社の浅見直博さん，この3名に対しては感謝の言葉しかありません。また，本書はこの4名だけで作ったわけではありません。締め切り直前のイラスト修正やゲラ刷りなど，出版社のバックヤードで働く"縁の下の力持ち"がいてくれたから今回の改訂版執筆は成し遂げられたと思っています。
　この本が無痛分娩にかかわるすべての人のハッピーにつながることを祈っています。

2022年11月　市ヶ谷の青空を見上げながら

入駒慎吾

Index

あ行

アゴ（硬膜外針） 62
アナフィラキシーショック 86, 88, **98**, 132
アナペイン® 12, 75, 95
意識消失 91, 95
痛み 2, 70, 82, 106, 122, 134
イニシャルドーズ 73, 74, 78, 88, 91, 106
イントラリポス輸液20%® 14, 36, **97**
インフォームドコンセント 28, 30
運動神経麻痺 61, 66, 82, 90, 92, 143
会陰裂傷 144
エフェドリン® 15, 38, 87, 93, 101
オピオイド 12, 78, 80, 87, 98, 100, 112, 114, 116, 120, 130, 150
親指法 50
オンデマンド無痛分娩 24, 72, 124, 126

か行

回旋異常 12, 87, 106, 113, 116, 117, **124**, 126, 138
カテーテル（硬膜外）
― 遺残 145
― 固定 49, **68**
― 再挿入 92, 108, **110**
― 至適留置長 60
― 信頼性 4, 8, 33, 71, 74, 78, 82, 84, 106, **108**, **110**, **128**, 130
― 挿入 18, **60**, 131
― 抜去 106, 108, 110, **145**
― 迷入 8
カフェイン 87, 150
カルボカイン® 12, **51**, 95
カロナール® 12
感覚神経麻痺（症状） **61**, 106
鉗子分娩 120
器械分娩 12, 35, 87, 117, 118, **120**, 126, 138, 143

気管挿管 140
希釈性凝固障害 136
キシロカイン® 12, **51**, 66, 90, 95, 96
気道確保困難（挿管困難） 26, 129
気脳症 57
吸引テスト 61, **64**, 66, 68, 90, 94
吸引分娩 120
救急カート 16, 36, 96
急激な分娩進行 5, 86, 106, 117, **122**
急速遂娩 93
仰臥位低血圧症候群 39
凝固障害 134, **136**, 141
局所浸潤麻酔 12, **50**, 52
局所麻酔薬 12, 50, 94, 112, 114, 116, 120, 125, 130, 134
局所麻酔薬中毒 4, 8, 14, 36, 64, 75, 80, 86, 88, **94**, 96
局所麻酔薬の血中濃度 94
棘突起 41, 44, 50, 52
緊急子宮弛緩 15, 87, 101
緊急帝王切開への移行 4, 44, **74**
筋緊張性頭痛 149
筋肉内投与 99
区域麻酔 26, 32, 38
偶発的硬膜穿刺 →UDPへ
くも膜下腔 54, 80, 114, 155
くも膜下迷入 8, 58, 64, 66, 75, 88, **90**
計画無痛分娩 24, 72, 124, 126
頸管の熟化 25, **73**, 126
痙攣 14, 66, **94**, 95, 96, 97
血管拡張性頭痛 146, 148
血管内迷入 8, 10, 61, 64, 66, 75, 89, **94**
高位（全）脊髄くも膜下麻酔 75, **92**, 131
後頸部痛 148
高度肥満（肥満） 26, 30, 74
後方後頭位 124
硬膜 40, 146, 150, 155
硬膜外カテーテル 60, 62, 68, 74, 76, 78, 80, 94, 102, 106, 108, 110, 128

163

硬膜外腔 40, 46, 48, 53, 54, 56, 58, 60, 62, 64, 66, 68, 84, 86, 114, 128, 130, 146, 148, 152, 155
── の静脈叢 89
硬膜外血腫 34, 61, 86, **145**
硬膜外自己血パッチ（EBP） 87, 151, 152
硬膜外針 50, 52, 56, 58, 60, 62, 86, 146, 153
硬膜外膿瘍 59, 86
硬膜外麻酔 24, 32, 34, 38, 40, 44, 46, 49, 54, **74**, 76, 78, 84, 94, 102, 114, 126, 129, 146, 148
硬膜外無痛分娩 2, 64, 81, 110
硬膜穿刺 57, 76
硬膜穿刺後頭痛（PDPH） 86, 146, 147, 148, 149, 150, 151, 152, 153
硬膜穿破 86
肛門括約筋の弛緩 139
コールドテスト 26, 61, 71, 80, **82**, 106, 108
呼吸停止 91, 95
骨盤底筋群 122
── の弛緩 113

さ 行

坐位 38
再穿刺 106, 108, **110**
産科DIC 132
── スコア 136
産科危機的出血（大量出血） 14, **132**, 145
産科危機的出血への対応指針2022 132
産科的医療介入 118, 120, 125, 139
産後の疲労度 4
産痛緩和 2, 26
産道 112, 116, **122**, 124
弛緩出血 87, 117, **138**
子宮筋の頻収縮・過収縮 35, 74, **100**, 116, 122, 135
子宮口の開大 42, 72, 123

子宮左方移動 39, 92, 96
子宮収縮回数 70
子宮収縮薬（オキシトシン） 70, 72, 87, 101, 106, 117, **118**, 120, 124, 125, 134, 138
子宮内胎児死亡 136
子宮内反症 144
子宮破裂 106, 134, 136
試験投与 64, **66**, 68, 74, 84, 88, 90, 94
死戦期帝王切開 96
持続投与の流量 13, **102**
児頭下降度（station） 42, 72, 123
児頭陥入 42, 44, 83, 106, 120
シミュレーションコース 21, 97
手術侵襲 2, 82
出血性ショック 132
常位胎盤早期剥離 106, **136**
消毒とドレーピング 48
消費性凝固障害 **136**, 140
静脈内投与 99
初期鎮痛 24, 32, **73**, 74, 77, 78, 84, 88, 91, 106
ショック・インデックス（Shock Index；SI） 15, **132**
侵害刺激 106
神経障害 48
神経症状 58, 60
神経損傷 86, 112
神経毒性 94
人工呼吸 87, 92, 96
人工破膜 119
靱帯感 52, 56
陣痛起点 24, 28, 126, 139
陣痛を伝える神経経路 42
心停止 95
心電図 17, 96
心毒性 94, 96
心肺虚脱 140
心肺蘇生 21, 96
髄液 40, 54, 58, 64, 130, 146, 148

164

髄膜炎	59	致死的合併症	4, 8, 22, **88**, 110
頭蓋内出血	58, **148**	遅発型局所麻酔薬中毒	89, 112
脊髄幹麻酔	**46**, 129	超音波断層装置（エコー）	46, 134
脊髄くも膜下腔	40, 48, 76, 78, 90, 114, 130, 146, 152	鎮痛効果	82, **94**
脊髄くも膜下硬膜外併用麻酔（CSEA）	24, 32, 54, **78**, 84, 100	鎮痛法	28, **32**, 74, 82, 126, 139
脊髄くも膜下麻酔	24, 32, 38, 46, 49, 54, 76, **80**, 82, 84, 92, 100, 108, 110, 129, 130, 146	追加投与（レスキュー）	108, 110, 124, 134
		帝王切開	114, 118, 121, 126, 128, 138
		帝王切開への移行	32, 81, 109, **128**, 130
		抵抗消失法	53
脊髄神経	**40**, 42	低在横低位	124
脊麻針	130	低髄圧性の頭痛	152
セルシン®	14, 96	テステープ	64
穿刺する際の体位	38	テストドーズ	66, 68, 74, 84, 88
穿刺部位の同定	50	デルマトーム	**41**, 82
全身麻酔	74, 109, 128	展退	72, **123**
全脊髄くも膜下麻酔	4, 8, 40, 64, 66, 80, 86, 88, **90**, 92	臀裂	49, **58**, 61
		疼痛スコア（NRS）	**35**, 82
挿管困難	26, 74	怒責	117, **142**
双胎妊娠	26, 74	怒責力低下	12, 87, **120**
創部出血	138	突発痛（BTP：breakthrough pain）	35, 37, 71, 83, 104, **106**, 124, 126, 128, 134
掻痒感	76, 112, **114**		
即発型局所麻酔薬中毒	88	― への対応	108, 109, 110, 111
続発性微弱陣痛	87, 112, 113, 116, 118, 124, 138		
		な 行	
側弯症	30		
		内診	70, 106, 108, 110, 143
た 行		ナロキソン®	115
		軟産道弛緩	122, 123, 124
体位依存性	146	尿閉	112
― の頭痛	148	妊産婦死亡	132, 136, 140
体位変換	101, **125**	妊娠高血圧症候群（HDP）	26, 30, **34**
胎児一過性徐脈	14, 32, 74, 76, 78, 86, 100, 112, 116, 122, 135	ネオシネジン®	15, 87, 98
胎児心拍異常	134, 136	**は 行**	
胎児心拍数モニタリング	93		
ダイバーシティ・マネジメント	8	バースプラン	10, 26, 71, 143
胎盤遺残	144	排尿障害	112
多弁	95	微弱陣痛	119, 134
		非ステロイド系消炎鎮痛薬	150

肥満	38, 50, 68, 81
フィブリノゲン	141
― 簡易測定器	141
フェンタニル®	12, 37, 75, 79, 87, 107, 120, 130
不穏状態	140
ブスコパン®	123
不整脈	66, 96
プレスキャン	38, 46
プロトコール	25, 28
分娩第2期	120
― 遷延	120, 125, 138, 142
分娩担当医	120
分娩停止	121
分娩の3要素	5, 116
分娩の急速な進行	5, 86, 106, 117, 122
分離神経遮断	13, 124
ベベル	52, 62
娩出物	116
娩出力	112, 116, 122
― 低下	117, 118, 120, 124
ペンシルポイント針	146
片頭痛	148
ベンゾジアゼピン系	96
ボーラス投与量	13, 102
ボスミン®（アドレナリン）	16, 88, 98
母体発熱	112, 114
ポプスカイン®	12, 75, 95
ボルベン®	14

ま 行

マーカイン®	13, 38, 79, 81, 131
麻酔が分娩に与える影響	4, 19, 86, 112, 116, 123
麻酔効果判定	75, 82, 106, 108
麻酔自体	86, 112
麻酔前評価	28, 30, 32
麻酔担当医	18, 21
麻酔範囲	71, 82, 94, 106, 110, 128, 130, 143
味覚異常（金属味）	66, 94
耳鳴り	66, 94
ミリスロール®	14, 101
無痛カクテル	74, 81, 102, 106, 130
無痛分娩麻酔管理者	18, 21
無痛分娩関連学会・団体連絡協議会（JALA）	20
無痛分娩記録	70
無痛分娩率	6
無痛分娩リテラシー	6, 28
迷走神経反射	38, 149

や・ら・わ行

ヤコビー線	44
癒着性くも膜下炎	152
羊水塞栓症	132, 136, 140
翼口蓋神経節ブロック（経鼻）	151
四つん這い	125
ルーチン	138
レスキュー	106, 108, 110, 116, 124, 134
レミフェンタニル	32
ロキソニン®	150
ロックアウト時間	13, 102
和痛分娩	2

数字・欧文

0.375%アナペイン® ……………………… 130
2%キシロカイン® ……………………… 130
8.4%メイロン® ………………………… 130
Basic Life Support（BLS）……………… 22
Bonica …………………………………… 42
Bromageスケール ………………… 61, 156
BTP …… 35, 37, 71, 83, 104, **106**, 124, 126, 128, 134,
CI-PCA ……………………………… 102, 104
CSEA …… 32, 34, 38, 40, 54, 74, 76, 78, 80, 82, 84, 100, 102, 126, 130
CSEA針 ……………………………… 54, 76, 78
DIC ……………………………………… 134, 141
DPE technique …… 40, 54, 74, **76**, 78, 84, 102, 126, 130
DPE状態 ………………………………… 131
IV-PCA ………………………………… 24, 32
J-CIMELS ………………………………… 88
JALA ……………………………………… 22
lipid rescue ……………………… 87, **97**
loss of resistance（LOR）…… 47, 53, 54, 56, 59, 64
Naチャネルブロッカー ……… 94, 96 **154**
NCPR …………………………………… 22
needle through needle ……………… 54
NRFit® …………………………………… 153
NRS …… 70, **82**, 106, 108, 110, 143
PCA ……………………… **102**, 106, 142
PCA装置 …………………… **13**, 92, 102, 104
PCAボタンの贈呈 ……………………… 8
PCAポンプ …………………………… 13
PCEA …………………………………… 76, 102
PCEAへの移行（乗り換え）……… 24, **84**
PDPH（硬膜穿刺後頭痛）…… 22, 58, 144, **146**, 152
PIB ……………………… 13, 92, 102, **104**
PIEB ……………………………………… 76
Quincke針 ……………………………… 146
RSS（rapid sequence spinal）……… 128
single shot spinal（SSS）…………… 80
Station: ±0 …………………………… 42, 44
UDP（unitentional dural puncture）
…………………… 46, 58, **146**, 150, 152